As ideias de responsabilidade e culpa permeiam os ensaios que abrem e fecham esta edição. Nas reflexões de Evandro Cruz Silva e da dupla Natalia Carrillo e Pau Luque, consciência política é tão mais consistente quanto distanciada de engajamento emocional e das proverbiais boas intenções. ◖ "Mesmo que eu o visse como 'um de nós', aquele moleque preto com uma arma na mão era meu inimigo de classe", escreve Silva, que parte de um assalto sofrido em Salvador para refletir sobre a complexidade e os percalços na consolidação de uma classe média negra intelectualizada no Brasil. ◖ "Hipocondria moral" é, a partir do título, uma provocação dos autores à combinação de "decência e narcisismo" que marca um comportamento típico das classes médias em sua participação no debate público. ◖ "A culpa é imputada pelo que se faz; a responsabilidade, não apenas pelo que se faz, mas também pelo que não se faz", escrevem Carrillo e Luque a respeito da distinção proposta por Hannah Arendt. "Contudo, culpa e responsabilidade costumam ser confundidas: às vezes nos sentimos culpados quando, na verdade, o que estamos sentindo é o chamado da responsabilidade." ◖ O EDITOR

3
2
1
4
N
W
E
S
Pessoas em domicílios
renda domiciliar de10
Salários Mínimos
1 Acima de 20%
2 De 15% a 20%
3 De 7% a 15%
4 Até 7%

Eu, minhas convicções e um moleque preto com arma na mão

Evandro Cruz Silva

Sou um escritor e acadêmico negro. Meus interesses intelectuais têm como norte dois pontos que considero complementares: defender os pretos, criticar a polícia. O antirracismo e o abolicionismo penal permeiam meus estudos, meus ensaios, minha ficção e minha militância. Eu levava tudo isso comigo quando fui surpreendido por um moleque muito preto e muito magro com uma cicatriz no pescoço. Ele apontava seu revólver calibre 38 para minha cabeça: "A mochila, o celular e o relógio", exigiu. Quando dei por mim, estava sentado na guia da calçada, atônito. Um silêncio ocupou minha mente até ser interrompido pelo verso de uma música: "Cada um cada um, você se sente só".

A interação durou pouco mais de um minuto. Mas ser agredido por um menino preto e pobre evoca uma questão mais duradoura, estrutural e perniciosa: a defesa dos direitos de "nós negros", quando enunciada, serve para mim e para aquele moleque preto com uma arma na mão? Entre o intelectual e o assaltante, temos dois jovens negros brasileiros e dois projetos políticos de difícil acomodação. No drama característico dos episódios de violência, a pretensão de uma "classe média negra" forjada pelo acesso ao ensino superior se confrontava com o mundo do crime.

—

Não reagi bem ao assalto. Contrariando o bom senso, empurrei o garoto e tentei acertá-lo com um soco ridículo. Caridoso com minha vida – ou apenas atordoado –, ele arrancou minhas coisas de valor e correu. Depois, não parei de pensar sobre como quase causei meu assassinato por causa de um celular e um relógio, como nos versos seguintes da música que ficou em minha cabeça: "Tem mano que te aponta uma pistola e, fala sério,/ Explode sua cara por um toca-fita velho/ [...] Sem dó e sem dor, foda-se sua cor". Em alguma esquina entre minha masculinidade ferida e a perda de meus bens, eu desejava coisas horríveis ao meu assaltante.

Depois, fiquei paranoico. Via perigo em todo lugar e me assustava com a presença de qualquer pessoa desconhecida, preta ou pobre. Adotei comportamentos que eu mesmo creditaria a uma "classe média branca" caricata e demofóbica. Me senti patético e desprezível, como se aquela violência

Talles Lopes
Sem título, 2016 (anterior)
Condenações, 2016 (ao lado)

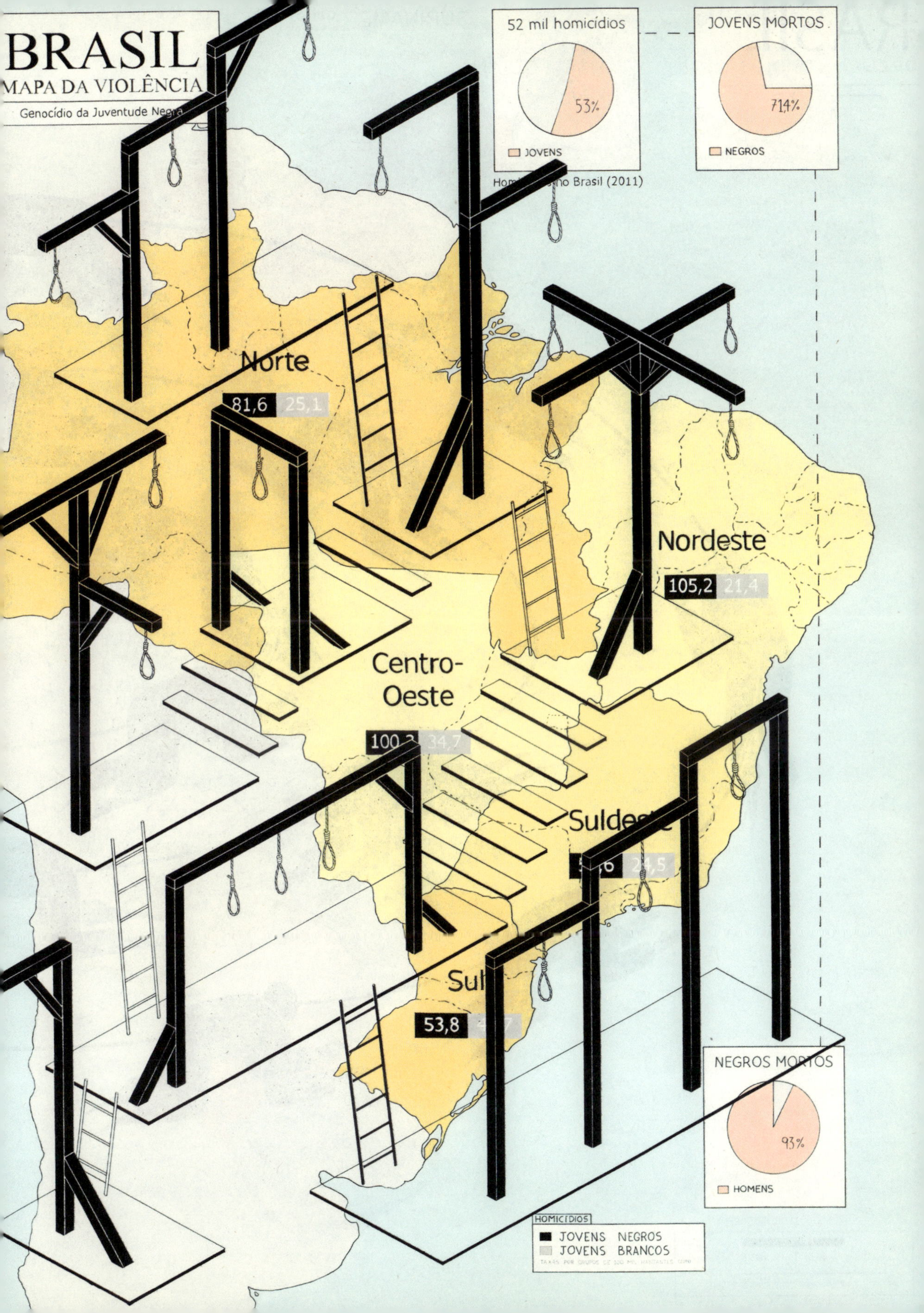
BRASIL
MAPA DA VIOLÊNCIA
Genocídio da Juventude Negra
52 mil homicídios
53%
JOVENS
JOVENS MORTOS
71,4%
NEGROS
Norte
81,6
25,1
Nordeste
105,2
21,4
Centro-Oeste
34,7
24,5
Sul
53,8
NEGROS MORTOS
93%
HOMENS
HOMICÍDIOS
JOVENS NEGROS
JOVENS BRANCOS

RASIL
ORES INTERNOS
SURINAME
GUIANA FRANCESA
GUIANA
OLÍVIA
AGUAI
CHILE
ARGENTINA
URUGUAI
ESCALA
200 100 0 100 200 400 Km
PROJEÇÃO POLICÔNICA

revelasse algo vergonhoso: eu era, na verdade, mais "classe média" do que "negro". Passado o trauma, percebi que naquele caso a obra dos Racionais MC's era uma saída possível para minhas inquietações.

—

A música que cito aqui é "Capítulo 4, versículo 3", terceira faixa de *Sobrevivendo no inferno*, quarto álbum de estúdio dos Racionais, lançado em 1997. O rap começa com uma pregação de Primo Preto, vocalista de outro grupo musical periférico da época, o SP Funk. A batida forte de um sino acompanha a declamação de Preto, como se marcasse uma profecia sagrada:

> 60% dos jovens de periferia sem antecedentes criminais já sofreram violência policial
> A cada quatro pessoas mortas pela polícia, três são negras
> Nas universidades brasileiras apenas 2% dos alunos são negros
> A cada quatro horas um jovem negro morre violentamente em São Paulo

"Aqui quem fala é Primo Preto, mais um sobrevivente", diz ele, encerrando seu testemunho e dando lugar ao vocal de Mano Brown. "Minha intenção é ruim, esvazia o lugar", ele anuncia numa voz grave, acompanhada por um *sample* de "Slippin' into Darkness", do War, grupo de *funk* dos anos 1970. Até hoje consigo citar cada verso dos oito minutos e sete segundos da música. Com frequência uso a composição de Brown para organizar os acontecimentos de minha vida, como se minha biografia e a crônica dos Racionais MC's se confundissem. No episódio do assalto, suas letras me ajudaram a entender o que o tornava tão inquietante: mesmo que eu o visse como "um de nós", aquele moleque preto com uma arma na mão era meu inimigo de classe.

—

Cresci na periferia da Baixada Santista, um lugar marcado pela violência. Vi uma arma pela primeira vez dentro da sala de aula – um colega adolescente levou um revólver pequeno. O ano era 2005, e uma viatura da Polícia Militar ficava o dia inteiro estacionada em frente ao portão da escola. Nessa época conheci a obra dos Racionais.

Venho de família evangélica, muito resguardada, que via nas "coisas do mundo" um sintoma do pecado. Minha vida se resumia a escola, igreja e casa. Nunca roubei nada, nunca cheirei cola com meus amigos, nunca briguei nem pulei muro para fugir da escola. O que dava vazão aos meus desejos adolescentes de experimentar a vida na rua eram as composições de Brown, Blue,

KL Jay e Edi Rock a que eu assistia no *Yo!MTV Raps*, programa da emissora dedicado à cultura *hip-hop* – que na minha época, meados dos anos 2000, era comandado pelo *rapper* Thaíde, mas já fora apresentado pelo próprio Primo Preto.

Os caminhos da vida, contudo, me levaram a ser alguém que trata das letras de Mano Brown em textos acadêmicos, revistas e livros – e não as vivenciando como aquele garoto negro que me roubou. A aproximação do grupo com o mundo universitário e de classe média não é exclusividade de minha biografia, muito menos via de mão única.[1] Nesse sentido, a letra é para mim uma crônica no futuro do pretérito daquilo que eu desejava: a emoção, a violência da *vida loka*, as armas; e, também, um relato verossímil caso eu adotasse a perspectiva da vítima. Se quando adolescente eu ouvia os raps e me imaginava no papel dos ladrões que narram as crônicas dos Racionais, naquela esquina eu estava do outro lado da história.

1. Nos últimos anos, os Racionais tiveram as letras de *Sobrevivendo no inferno*, seu disco mais importante, publicadas pela Companhia das Letras. O livro tornou-se bibliografia obrigatória do vestibular da Universidade Estadual de Campinas, onde o grupo deu uma aula aberta em 2022.

Quando "Capítulo 4, versículo 3" invadiu minha cabeça depois do assalto, percebi como ela traduzia parte de minha vida e de muitos outros sujeitos negros vindos da periferia. Eu me sentia como o cara com poucas perspectivas que se "humilha no sinal/ Por menos de um real", mas, efetivamente, tinha me tornado o ator ideal para o papel de "*playboy forgado*", "um trouxa". Diferentemente dos anos 1990, quando a música foi composta, hoje quase 52% dos alunos das universidades brasileiras são negros. E eu, naquela esquina, era um deles.

O assalto aconteceu em Salvador. Registrei o boletim de ocorrência na Deltur, delegacia da Polícia Civil baiana especializada em crimes contra turistas, deixando as diferenças entre criminoso e vítima ainda mais cintilantes. Lá, encontrei um policial militar que me prometeu "caçar" o moleque. "Essa raça é uma desgraça, vamos caçar", ele disse. Como parte do registro do boletim, a escrivã de polícia me perguntou com qual raça e cor eu me declarava: "Negro", respondi. Depois, ela me pediu uma descrição do assaltante: "Também negro". E se o PM no canto da sala me perguntasse qual era a cor dele, eu diria: "Negro, também". Mas qualquer observador perceberia que eu, o assaltante e o policial não éramos "negros" do mesmo jeito. Aquela categoria, naquela situação, não resolvia o conflito no qual nos envolvemos.

Modelos e circuitos, 2017 (anterior)
Sem título, 2016 (ao lado)

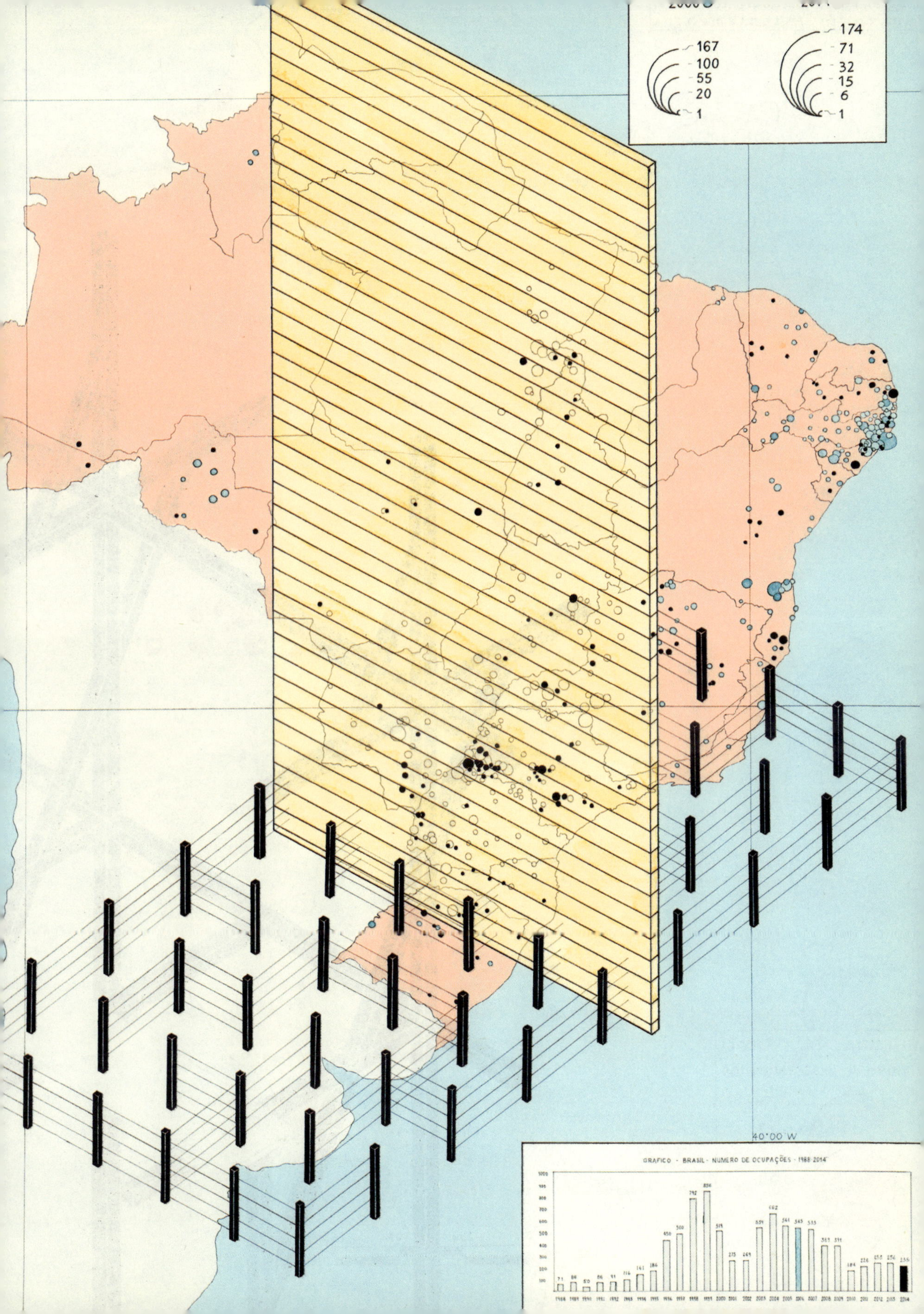

167
100
55
20
1
174
71
32
15
6
1
40°00 W
GRAFICO - BRASIL - NUMERO DE OCUPAÇÕES - 1988-2014

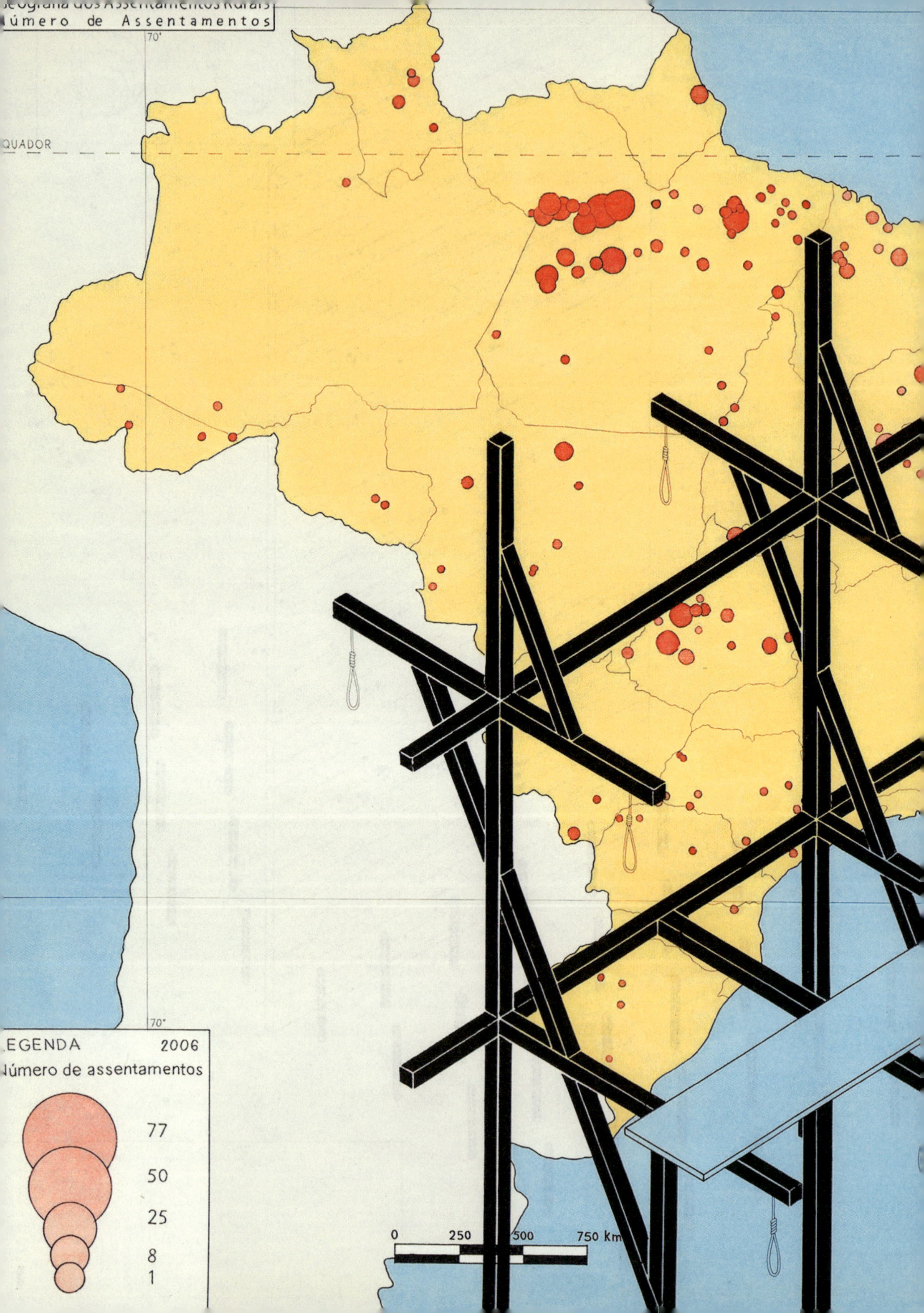

úmero de Assentamentos
70°
QUADOR
70°
EGENDA 2006
úmero de assentamentos
77
50
25
8
1
0 250 500 750 km

Sem título, 2016

Para aquele garoto esquálido e com disposição de apontar um revólver para a cara de alguém, eu não seria considerado, pelos seus, como "um de nós". Eu era um *playboy* distraído numa esquina qualquer. Para o policial, esbaforido e suado numa delegacia feita apenas para atender crimes praticados contra quem visita a cidade, o moleque retinto a ser capturado não estava entre os seus, e tampouco eu, turista desavisado, era seu igual. Ele, policial, era um trabalhador; o moleque, um inimigo; e eu, uma vítima.

Do meu ponto de vista, a disposição daquele agente de polícia em "caçar" o moleque preto só reforçava minha certeza da falência da polícia como instituição. Eu lembrava mais uma vez da música, me identificava com o narrador no verso "Um dia um PM negro veio embaçar" e, com ele, redobrava minha reprovação: "Eu vejo um mano nessas condições, não dá!". Naquela noite, contudo, sonhei que a polícia recuperava meus pertences.

—

O problema da ascensão negra numa sociedade marcada pela escravidão é questão clássica da sociologia brasileira desde *A integração do negro na sociedade de classes*. Quando o livro foi concluído, em abril de 1964,[2] Florestan Fernandes questionava se o mundo do trabalho urbano pós-abolição seria capaz de absorver as massas negras libertas. A política de cotas, da qual eu e parte significativa da denominada "classe média negra urbana" no Brasil somos beneficiários, é mais uma tentativa de solucionar o problema identificado pelo sociólogo, dessa vez para corrigir o racismo estrutural que distribuiu de maneira desigual a formação superior no Brasil durante o século 20.

A integração do negro na sociedade de classes demonstrava, contudo, que a ascensão social dos negros os exporia a novas discriminações de cunho racista. Essa percepção guiou uma série de pesquisas sobre os desafios da classe média negra, demonstrando o sofrimento de quem ascende sob o estigma de forasteiro entre classes médias majoritariamente brancas. Os exemplos são muitos:[3] ainda hoje, negros brasileiros são vistos como intrusos em uma variedade de lugares tradicionais ocupados pelos mais abastados.

Por outro lado, há uma experiência de classe entre os estratos médios da sociedade brasileira que diz respeito ao medo de

2. Na edição do livro publicada pela Contracorrente em 2021, um interessante prefácio de Mário Medeiros atualiza as questões tratadas por Florestan Fernandes, relacionando-as aos problemas brasileiros contemporâneos, e discute a recepção da obra dentro da sociologia brasileira (pp. 9-18).

3. Para uma referência de trabalho acadêmico sobre os dilemas raciais de pessoas negras ascendentes, ver: Angela Figueiredo, *Classe média negra: trajetórias e perfis*. Salvador: EDUFBA, 2012.

perder bens adquiridos. Essa insegurança é típica das classes médias em sua condição de vítimas preferenciais tanto das variações e crises econômicas – das quais os ricos estão protegidos por serem ricos – quanto da violência urbana, da qual os ricos se resguardam com carros blindados, seguranças particulares e condomínios de luxo.

Pesquisas como as do grupo coordenado por Gabriel Feltran demonstram de maneira convincente que o conflito violento nas cidades brasileiras não antagoniza apenas pobres e ricos, mas também os muito pobres e as classes médias.[4] É natural do encontro desses dois estratos o conflito de classes agudo da realidade brasileira contemporânea. Não é difícil deduzir que essa equação tem grandes chances de produzir uma situação de "negro contra negro" como a que vivi.

As supostas soluções para os problemas da insegurança oscilam entre uma desorientação política, que é a nossa, e um conjunto cruel de reações. Não por acaso, Feltran é autor de uma das contribuições mais originais sobre as relações entre conflito de classes e a ascensão da extrema direita no país. Para o autor, não há uma resposta progressista eficaz para o confronto entre os que nada têm e os que nada tinham e agora têm um pouco. É esse vácuo político que favorece o fortalecimento das propostas da extrema direita contemporânea: milícias, estímulo à violência policial, contratação de segurança privada, condominização e todas as iniciativas de proteção que supostamente resolvem o conflito de classes, criando uma espécie de "revolução jagunça", termo que remete ao personagem histórico que resolvia conflitos políticos por meio da violência pura.[5]

Essa configuração assumiria ares revolucionários, segundo o autor, porque tais operadores de violência se emancipam das cadeias de comando e tentam eles mesmos conduzir a política, formular leis e eliminar qualquer restrição ao uso da violência, tal qual o policial que promete "caçar" uma pessoa como forma de promover a segurança pública. É perturbador perceber que um "jagunço" pôde fazer uma oferta dessas a mim, um homem negro e plenamente ciente das desigualdades racistas. E, pior, do ponto de vista da classe média, eu teria motivos para aceitá-la.

Há um risco real de que a consolidação da classe média negra resulte numa sobrepunição das parcelas negras da pobreza extrema. Além de nos expor de mais uma forma ao racismo dos brancos, a integração dos negros à sociedade de

4. O volume *Stolen Cars: a Journey through São Paulo's Urban Conflict* (2021) reúne pesquisas da equipe coordenada por Feltran em torno da indústria baseada no roubo de carros – da contratação de ladrões *freelancers* à disputa das seguradoras privadas pelas apólices dos veículos – e demonstra um conflito que geralmente coloca frente a frente um ladrão muito pobre e um dono de veículo de classe média.

5. Para um resumo da formulação de Feltran sobre a explosão de um conflito político com ares totalitários e oriundos dos estratos baixos e médios brasileiro, ver o ensaio "Formas elementares da vida política: sobre o movimento totalitário no Brasil (2013-)", em especial o ponto "Força centrípeta". Disponível em: novosestudos.com.br/formas-elementares-da-vida-politica-sobre-o-movimento-totalitario-no-brasil-2013/#gsc.tab=0.

Condenações, 2016 (ao lado)
Sem título, 2016 (próxima)

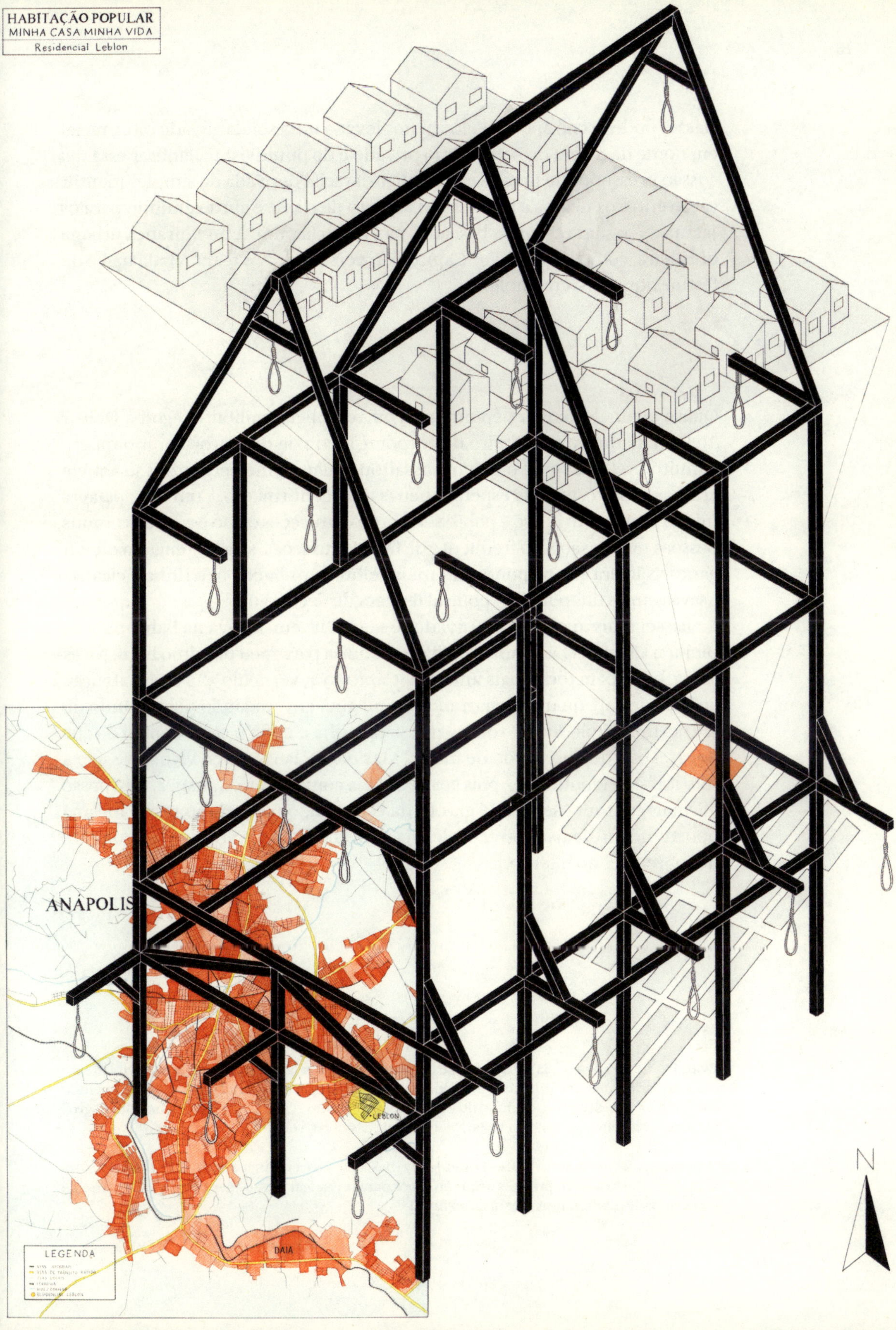
HABITAÇÃO POPULAR
MINHA CASA MINHA VIDA
Residencial Leblon
ANÁPOLIS
LEBLON
DAIA
LEGENDA
N

classes pode, como aponta Feltran, nos levar a uma solidariedade inter-racial em nome da defesa do patrimônio privado e do punitivismo. Ignorar essa discussão pressupondo uma eventual aliança racial derivada da simples identificação entre os negros é ignorar seu aspecto de classe e abrir caminho para os "jagunços" e suas respostas baseadas na violência pura. A insegurança urbana brasileira, como já ensinava "Capítulo 4, versículo 3", é real: "A bala não é de festim, aqui não tem dublê".

—

Quase ao final do meu depoimento, outro policial militar chegou à Deltur. Ao lado de um companheiro de corporação, trazia um garoto muito magro e muito preto, tal qual o que me assaltou. Quando me perguntou se aquele era o assaltante, parecia esperar apenas uma confirmação. Com uma palavra minha, um garoto negro e pobre seria preso. Situações como essas são comuns, pessoas negras são alvo frequente de falsas acusações, seja por engano ou vingança. Não era ele, respondi: era mais velho, mais baixo, não tinha a cicatriz, usava roupas diferentes. O policial fez cara de decepção.

Passei mais uns dias em Salvador e segui viagem. Estava na Bahia para explorar a Chapada Diamantina e fazer pesquisa para meu próximo livro. Na estrada, botei para tocar mais uma vez "Capítulo 4, versículo 3". Prestei atenção ao final do rap, quando o narrador se imagina enveredando pelo mundo do crime: um "moleque de touca" que "engatilha e enfia o cano dentro da sua boca". Logo depois, muda de ideia: "Mas não.../ Permaneço vivo, prossigo a mística". Me identifiquei, pois aos 31 anos já contrariei a estatística. Não posso afirmar, contudo, se aquele garoto da esquina do Pelourinho terá a mesma oportunidade de não sofrer violência policial, de não morrer violentamente, de sobreviver no inferno.

Evandro Cruz Silva (1992) é sociólogo e escritor. Pesquisa relações entre segurança, violência e desigualdades no Brasil urbano. É autor do livro de contos *praia artificial* (Patuá) e foi o segundo colocado na 3ª edição do Concurso de Ensaísmo *serrote* com "Orfeu enfrenta o genocídio negro", publicado na edição 35-36 da revista. Na *serrote* 38, assinou o verbete "G de genocídio".

O artista visual e arquiteto **Talles Lopes** (1997) nasceu e vive em Anápolis (GO). Em seu trabalho, revisita arquivos, atlas e projetos arquitetônicos para investigar as relações entre o imaginário de modernidade e as heranças coloniais no Brasil.

Congresso Nacional

Ela é capital!

Namwali Serpell

Onipresente na arte como musa e objeto, a prostituta pode ter encontrado na *web* um terreno artístico próprio

Lia D Castro
Da série *Axs Nossxs Filhxs* (detalhe), 2021

Quando a encontramos em Apocalipse 17, "a famosa prostituta" cujo nome é "um mistério: Babilônia, a Grande, mãe das prostitutas e das abominações da terra", ela está vestida para matar. "A mulher usava trajes com púrpura e escarlate, adornada com ouro, pedras preciosas e pérolas; e tinha na mão um cálice de ouro cheio de abominações; são as impurezas da sua prostituição", e cavalga "uma besta escarlate" com "sete cabeças e dez chifres". Ela é "a Grande Cidade que reina sobre os da terra"; as águas sobre as quais ela se senta são "povos e multidões, nações e línguas".

Aqui está um dos ícones da prostituição: trajada com luxo, incrustada com opulência, embriagada com a imundície que transborda de seu cálice, equilibrada freneticamente sobre aqueles que conquistou – aqueles que, segundo as Escrituras, vão por sua vez odiá-la, abandoná-la, consumi-la e deixá-la em chamas. Embora seja descrita e nomeada com detalhes elaborados, a Prostituta da Babilônia está calada.

A figura da meretriz oscila entre uma posição de poder e um tipo de abjeção. Encontramos essa ambivalência em sua etimologia: em inglês, a palavra *whore* pode derivar de uma raiz que significa "alguém que deseja" ou de outra que significa "pecado, imundície"; hoje, nossa interpretação ainda é incerta: a puta é alguém que faz sexo por prazer, por dinheiro ou pelo prazer do dinheiro. Também há uma suspeita de que a piranha gosta de seu trabalho, o que faz dela um exemplo raro de trabalhadora inalienada.

Talvez por esse motivo o relacionamento entre a prostituta e o capital permaneça turvo. Ela é produtora sagaz ou consumidora voraz? Coisa a ser usada ou experiência a ser trocada? *Commodity* fetichizada ou imagem do próprio capitalismo? Segundo Marx, "o meretrício é apenas a expressão *específica* da prostituição *geral* do trabalhador". Em outro texto, com um aceno para Shakespeare, ele descreve o dinheiro como "a prostituta comum, o cafetão comum de todos os povos e nações". Ela é comum? Qual a posição de classe da puta? Tradicionalmente ela está entre o que há de mais baixo na sociedade, mas num instante pode ser catapultada ao topo. E ainda atrai o ressentimento e o desejo de todos.

Sim, análises feministas têm muito a dizer sobre a putificação das mulheres, a misoginia incansável que nos reduz a objetos, instrumentos, coisas a serem usadas. E temos visto, ao longo dos séculos, movimentos políticos para abolir a prostituição, torná-la mais segura, descriminalizá-la, sindicalizá-la, erradicá-la. Mas a prostituta ainda é negligenciada como ator político. Onde quer que apareça, é utilizada como conceito retórico ou simbólico.

É essa reflexão insistente sobre a prostituição que me interessa, a forma como ela parece ser sempre um meio *entre* as coisas, ou *para* outra coisa. O historiador Heródoto, no século 5 a.C., afirmava que as primeiras prostitutas viviam em "casas do paraíso" às margens do Tigre e do Eufrates, onde vendiam o corpo como um rito de fertilidade, um casamento sagrado ou sexo ritual – seja o que for, um modo de canalizar o divino. Na imaginação secular, a meretriz também é o meio pelo qual os outros alcançam o êxtase, a apostasia, o luxo, o sublime, a notoriedade, a realidade.

A prostituta é um *entre*: uma intermediária no intercurso, no interior da multidão enlouquecida, junto dos bens mundanos. Ela é capital ("Ela é capital!"), o ídolo dourado, a serva de Mamon, a clássica loira de coração de ouro, a malvada coberta de ouro – o ideal proporcional, a foda perfeita, o dinheiro é o fim que justifica o "meio".

E curiosamente descobrimos que a prostituta reaparece como figura central (ou centralidade figurada) quando se trata do meio da arte também: a pintura, a peça de teatro, o romance, os filmes, a internet.

—

Considere, por exemplo, a entrada em cena de Naná, a heroína de Émile Zola. Parece apocalíptica:

> Naná estava nua, ostentando sua nudez com uma audácia serena, certa do poder soberano de sua carne. Ela não usava nada além de um véu de gaze; os ombros roliços, os seios de amazona, cujos bicos róseos se mantinham eretos e rígidos como

> lanças; as ancas largas balançavam de um lado para o outro voluptuosamente; suas coxas – as coxas de uma loura rechonchuda –, seu corpo inteiro podia ser apreciado, na verdade, nitidamente contemplado, em toda a sua brancura de espuma sob o tecido diáfano. Era Vênus surgindo das ondas [...]. De repente, na jovem amável despertava a mulher, uma mulher perturbadora com toda a loucura impulsiva do seu sexo, abrindo os portões do mundo desconhecido do desejo. Naná sorria sempre, mas com o sorriso fatal de uma devoradora de homens.

Zola apresentou Naná pela primeira vez em *O abatedouro* (1877), romance anterior da saga dos Rougon-Macquart, como a filha de um casal de alcoólatras; ela foge com um empresário mais velho, então se torna prostituta. *Naná*, publicado três anos depois, é um relato de sua tumultuada e desastrosa ascensão de mulher da rua a cortesã nos três últimos anos do Segundo Império. No início do romance, ela tem 18 anos, um filho fora do casamento e acaba de ser contratada para estrelar uma montagem de *A Vênus loura*. Quando ela se transforma na deusa do amor em sua autêntica forma (nua), sua verdadeira arte (triste) se revela: o drama é apenas uma ocasião para exibir seu corpo.

A prostituta oscila entre uma pessoa de carne e osso e uma obra de arte. Os críticos notaram que as descrições que Zola faz de Naná imitam pinturas eróticas, cartazes pornográficos e fotografias de *pin-ups*. Mesmo como figura celebrada, a puta traça um circuito repetitivo entre os homens. Zola escreveu um ensaio elogiando a famosa pintura *Olympia* (1863), de Édouard Manet, que retrata uma mulher branca nua olhando para o observador, acompanhada de uma empregada negra vestida, cuja simples presença sinaliza sensualidade; em 1877, inspirado pela breve aparição de Naná em *O abatedouro*, Manet pintou um retrato hipotético da personagem de Zola; mais tarde, essa pintura inspirou a descrição que Zola faz do corpo de Naná, em especial em sua associação com uma sexualidade "primitiva".

No palco, o ardor de Naná, "a loucura impulsiva do seu sexo", como a de um "animal no cio", contagia o teatro:

> A sala inteira parecia balançar, assolada por um momento de tontura em seu cansaço e excitação, e possuída por aqueles desejos sonolentos da meia-noite que se remexem entre os lençóis. E Naná, diante daquela plateia fascinada, aqueles mil e quinhentos seres humanos apinhados [...], se mantinha vitoriosa em virtude da sua carne marmórea, e daquele seu sexo poderoso o suficiente para destruir todo o público e ao mesmo tempo permanecer indiferente.

A cena representa a indiferença lendária da prostituta – que supostamente não discrimina atos, partes do corpo, homens – enquanto apresenta a perturbadora e emocionante proposta de uma mulher fazer sexo com milhares, de uma só vez.

Zola é o mestre da multidão: sua psicologia, sua forma, a intensidade de suas sensações, seu modo de soar como "o trinado de um bando de pardais tagarelas no fim do dia". A multidão se transforma como um murmúrio ao longo de sua obra: clientes em frenesi em *O paraíso das damas* (1883), corretores maníacos em *O dinheiro* (1891), trabalhadores manifestantes em *Germinal* (1885) – enxames, aglomerações e grupos heterogêneos por todo lado.

Como a locomotiva ou o mercado em outros romances, Naná é um motor de multiplicação. Depois de sua performance, pretendentes formam uma fila sem fim em sua porta: "Toda uma multidão de homens, ajeitando seus botões de marfim, um atrás do outro". A multidão extasiada reaparece mais tarde numa cena de clímax na qual Naná é o centro das atenções, depois que um alazão batizado em sua homenagem vence uma corrida ("Quem está montando Naná? [...] É o príncipe"). Há sempre uma borda violenta, horrível, nessa atenção vertiginosa; Naná incita nas pessoas, nas massas e eventualmente nas nações "o pavor da mulher, da besta das Escrituras, uma criatura lasciva da selva".

—

Além da Bíblia, a descrição que Zola fez de Naná contava com uma longa tradição literária, de *A mulher de Bath*, de Chaucer, a romances do século 18 como *Os segredos de Lady Roxana*, de Daniel Defoe, e *As relações perigosas*, de Pierre Choderlos de Laclos. Zola também pegou emprestadas gírias e xingamentos em seus encontros pelas ruas de Paris, escândalos de folhetins de fofoca e detalhes saborosos – como uma cama de cabeceira com ornamentos dourados – da vida da cortesã Valtesse de la Bigne, autora de um romance autobiográfico levemente velado, *Isola* (1876). (Valtesse achou a personagem ficcional de Zola inspirada nela "uma puta vulgar, estúpida, grosseira!".)

A saber, *Naná* está longe de uma história original de prostituta. Mas o romance de Zola cristalizou suas personagens arquetípicas, exibindo-as como joias sobre o veludo. Há Naná, a meretriz, jovem, loura e roliça; a companheira de prostituição/melhor amiga/amante *queer* (Satin); a criada facilitadora ("Zoé, uma morena que usava seu cabelo em bandôs curtos, tinha um rosto longo e fino... pálido e manchado, com um

Da série *Axs Nossxs Filhxs* (detalhe), 2021

nariz chato, lábios grossos e olhos escuros); a matronal Madame Tricon, que compete com figuras semelhantes a cafetões que seduzem e agridem a prostituta, como o ator Fontan. Há uma série de putanheiros: o produtor que mexe uns pauzinhos para ela (Bordenave); o escritor que conta a história dela (Fauchery); o amante desprezado levado ao suicídio (Georges); o fanático que se autodeprecia (conde Muffat, devoto religioso tão inebriado por um "penico esquecido" de uma corista quanto pela beleza de Naná). E descobrimos a fina flor das trabalhadoras sexuais que se excitam com o envolvimento explícito do sexo ou do dinheiro: *grisette, cocotte, courtisane, maîtresse, demimondaine.*

Conforme Naná muda de um protetor para outro, passamos por uma série de casas que mapeiam a ascensão social dela. Ela as enche de bricabraques, se satisfaz com o "esplendor vulgar" de uma

> janela com vidro manchado, cujas vidraças cor-de-rosa e amarelas sugeriam a palidez cálida da carne humana... embaixo, um homem negro esculpido em madeira estendia uma bandeja de prata cheia de cartões de visita, e quatro mulheres de mármore com os seios de fora erguiam lamparinas em suas mãos ao alto.

Nas casas de Naná, o estrangeiro e o familiar, o requintado e o *gauche* se misturam livremente.

Sua mercadoria mais básica e bela, evidentemente, é seu corpo: "Um dos prazeres de Naná consistia em se despir diante do espelho na frente da porta do guarda-roupas, que a refletia dos pés à cabeça. Ela costumava tirar toda a roupa e ficar de pé nua em pelo, observando seu reflexo e se esquecendo de todo o resto."

Naná aperta os seios, esfrega as bochechas nos ombros, beija a pele perto das axilas, "rindo para a outra Naná que se beija igualmente no espelho". Esse autoconsumo narcisista diante do espelho é a realização das aspirações de uma menina que vendia flores e "costumava sonhar diante das vitrines nas galerias".

Uma noite, o conde Muffat, delirante de ciúmes por Naná ter escolhido um ator abusivo em vez dele, vaga por essas galerias. Ele para na frente de uma "vitrine cheia de bugigangas, onde [observa] [...] um conjunto de cadernos e cigarreiras, todos com o mesmo selo com uma andorinha azul no canto", então se fixa numa "sequência de pequenas janelas redondas acima das lojas". Trata-se de uma alusão às *hirondelles*, mulheres que trabalhavam nas janelas dos andares superiores das lojas, que Walter Benjamin compara a "balaustradas nas quais se aninham os anjos a quem chamamos de 'andorinhas'". Nas *Passagens*, Benjamin argumenta que o "amor pela prostituta é a apoteose da empatia com a mercadoria" e que a prostituição revela "a função dialética do dinheiro": ele "compra o prazer e ao mesmo tempo torna-se a expressão da vergonha".

No fim das contas, Naná estende a vergonha e a ruína a quase toda a França:

> Somente ela restou de pé, parada entre as riquezas acumuladas em sua mansão, enquanto um bando de homens jaz aflito aos seus pés. Como aqueles monstros da Antiguidade cujos domínios temíveis eram cobertos de esqueletos, ela repousava seus pés sobre crânios humanos e era cercada por catástrofes.

Essa destruição é causada pela corrupção que corre no sangue de sua família, mas também pelo capitalismo, que Naná representa e no qual ela se transforma: ela é comparada a um "aqueduto [...] que tinha custado milhões de francos e dez anos de luta", a um "porto em construção, com centenas de homens suando sob o sol [...] construindo um muro contra o qual os trabalhadores eventualmente seriam esmagados numa polpa sangrenta", e a um "edifício suntuoso de esplendor real que foi pago com um único material – açúcar".

Essa insinuação de colonialismo persegue Naná mesmo quando ela deixa a cidade em desgraça. Os rumores eram de que ela havia "conquistado o coração do vice-rei, e reinava, nos distritos mais recônditos de um palácio, com duzentos escravos" ou "se arruinado com um negro imenso, satisfazendo uma paixão obscena que a deixou sem um centavo no seu nome, chafurdando na devassidão libertina do Cairo".

Ela só volta a Paris para morrer num hotel, vítima da "varíola" que pegou do filho. Do lado de fora, a multidão toma as ruas ao se espalhar a notícia de que a França declarou guerra à Prússia, um prenúncio do colapso do Segundo Império, simbolizado pela derrocada de uma Naná decadente:

> O que repousava no travesseiro era um ossuário, um monte de pus e sangue, uma pazada de carne pútrida. As pústulas tinham invadido o rosto inteiro, então uma bolha tocava a outra [...] e ao redor dessa máscara horrível e grotesca da morte, o cabelo, lindo cabelo, ainda brilhava como a luz do sol e fluía como um veio de ouro. A Vênus se decompunha.

Mesmo como um monte de podridão, Naná é uma Vênus, um veio de ouro, um mito.

Naná jamais poderia conjurar esse mito por conta própria. Ela é péssima atriz, ainda pior como cantora, uma decoradora miserável; isso sem mencionar que, ao contrário de Valtesse de Bigne, Naná não conseguiria escrever (e não leria) o romance de Zola, *Naná*. A figura da prostituta nunca é a de uma criadora; ela só pode ser o meio pelo qual alguém cria.

O filme *Zola* (2021), de Janicza Bravo, começa com uma voz em *off*: "Você quer ouvir a história de como eu e essa puta paramos de nos falar? É meio longa, mas cheia de suspense." Assistimos a duas mulheres jovens, uma negra e uma branca, de pé numa sala espelhada encarando seus reflexos enquanto aplicam maquiagem colorida e brilhante como as poucas roupas e acessórios que usam. A cena poderia se passar nas galerias, onde as belas contemplam sua beleza nos espelhos, onde os prazeres do corpo estão à venda. Os espelhos também representam a tela grande na qual assistimos ao filme e as telas portáteis que provavelmente estamos rolando ao mesmo tempo. O filme é baseado numa série de *tweets* postados por A'Ziah "Zola" King em 27 de outubro de 2015, sobre uma viagem desastrosa para a Flórida que ela fez com outra *stripper*.

A abertura apresenta essas duas mulheres como duplos: amigas, rivais, contrastes. Com um *flashback*, voltamos à época em que elas se encontraram pela primeira vez: num restaurante tipo Hooters, onde Zola, garçonete negra de 18 anos interpretada por uma lacônica Taylour Paige, está atendendo Stefani, cliente branca de 21 anos vivida por uma exagerada Riley Keough. Stefani elogia os "peitos perfeitos" de Zola, e as duas tentam sondar uma à outra:

— Você dança?
— Às vezes.
— Eu danço.
— Ok, piranha. Eu também.

Elas saem juntas – uma sequência frenética e engraçada que esclarece que "dançar" significa "fazer *strip-tease*" e que "piranha" é usado afetivamente – o que motiva Stefani a convidar Zola a ir para a Flórida. Zola responde: "Porra, garota, a gente mal se conhece e você já está querendo viajar comigo?", mas aceita, só para descobrir que elas serão acompanhadas pelo "namorado" branco de Stefani, Derrek (um tagarela insignificante, interpretado por Nicholas Braun), e por seu *roommate* negro, que inicialmente é chamado de X e no fim se revela seu cafetão (um Colman Domingo cheio de ginga e roupas estampadas).

O efeito da camareira de *Olympia* continua vivo. Stefani, a trabalhadora sexual branca, é loira e magra, a típica americana, mas sua voz e seu jeito – ela modela seus cachinhos de bebê, rebola a bunda, canta rap ao som de hip hop – estão impregnados de negritude. Isso tem a intenção de reverter alguns estereótipos. Em algum ponto da viagem de carro, Stefani zomba de uma *stripper* negra por ser "suja" e "safada" quando acabamos de vê-la agindo exatamente assim numa parada da estrada. No banheiro do posto de gasolina, a câmera flutua por cima das cabines (um penico, mais uma vez), dividindo a tela entre a de Stefani (ela se senta; não se limpa, sua urina é de um amarelo nada saudável) e Zola (ela se agacha; pede papel higiênico; sua urina mal colore a água). A mulher branca, não a negra, é a "puta suja".

No final do filme, Stefani fez sexo com dezenas de homens e, somos levadas a crer, inclusive com x, seu cafetão negro. Sob seu suave charme americano, retumba uma ferocidade sinistra marcada como "africana", o que significa "selvagem". Seu sotaque nigeriano irrompe quando ele ameaça Zola, gritando "senta esse rabo de novo dentro do carro! Eu sei onde você mora. Sei onde você trabalha." Ele limpa a garganta fazendo barulho enquanto urina – um jato barulhento, a porta aberta. Ele grita com Stefani, beija a testa dela. A imagem é inconfundível e tão velha quanto os séculos: o bruto e a donzela.

—

De fato, o filme poderia ser baseado nas antigas e batidas histórias de meretriz que vimos em *Naná*: Stefani é a clássica puta loira, cabeça de vento e duas caras, bonita e monstruosa, associada às classes mais baixas, mas eventualmente incapaz de uma verdadeira solidariedade para com elas. Em Derrek ela tem o amante perturbado levado pelo ciúme a tentar o suicídio; em Zola, uma melhor amiga/cafetina/criada que negocia e autoriza o trabalho sexual; em x, um cafetão garanhão que ela teme e a quem se apega. Assim como em *Naná*, a ação se torna mais intensa conforme aumentam os valores cobrados por Stefani. A mudança é encenada pela arquitetura: os viajantes se mudam de um hotel decadente para um cinco estrelas, e finalmente terminam na imensa casa de vidro e mármore de x num condomínio em Tampa Bay, com uma varanda voltada para uma piscina turquesa e vista para o mar.

Zola tem seus melhores momentos quando deixa de lado essa trama arquetípica para brincar com a linguagem cinematográfica. Sua estética, como a de outros filmes produzidos pela A24, tem um ar de grafite gentrificado, uma paleta de hematoma esmaecido. Mas Bravo acomoda lindamente os pastéis iluminados pelo sol na Flórida como num quadro de David Hockney, e o filme faz referências hábeis a suas origens nas mídias sociais. Com o som de um obturador, a câmera congela e uma fotografia se encolhe num canto da tela, como num iPhone; com um tilintar, corações piscam ou sobem pela lateral, como numa *live* de Instagram, textos aparecem em meio a ruídos de teclado e *emojis* pipocando; numa fonte fina e branca, data e hora piscam no topo da tela; ocasionalmente ouvimos um pio do Twitter, o que, segundo o roteiro, "indica quando uma fala é idêntica a um dos *tweets* de @_zolarmoon".

O centro de *Zola* – seu clímax, por assim dizer – é uma longa sequência no segundo hotel. Stefani se troca, vestindo um uniforme escolar inocente saído do clipe de "... Baby One More Time", de Britney Spears. Um barbudo branco de meia-idade chega. Assim que Zola abre a porta, ele reclama: "Eu pedi uma garota branca". Zola revira os olhos, negocia a transação, então vira as costas para a cama, e sua voz impassível declara em *off*: "Eles começaram a foder, foi nojento". Quando o sexo acaba, e Zola descobre como ele pagou pouco, fica horrorizada:

DAVI

"Boceta vale bem mais de mil, sua louca". Ela tira uma nova foto de Stefani para anunciar os serviços dela no BackPage, e aumenta os preços. Logo, assim como em *Naná*, os homens estão praticamente fazendo fila na porta. Por alguma razão (afinal não estamos na Flórida?), eles são todos brancos.

O filme sublinha como os machos são intercambiáveis quando cada um deles está com Stefani: tiram a roupa; manuseiam o corpo dela; gozam. Em sequência e na horizontal, esses enquadramentos se sucedem como uma exibição deslizante de peitos, barrigas e virilhas dos homens. Passamos por eles como se rolássemos o Tinder ou o Instagram, dando *emojis* de corações explodindo para paus e peitorais. O grotesco das imagens tem a intenção de interromper o prazer que a cena proporcionaria se fosse editada de outra forma. Mais uma vez, é uma inversão – são os homens, em vez das mulheres, que são divididos em partes, tratados em série.

Percebendo o jeito de Zola para ser cafetina, x a recompensa e a obriga a acompanhar Stefani num programa em domicílio. De acordo com o roteiro: "A porta se abre. Surge um homem latino de cueca *boxer*, vamos chamá-lo JUAN. Mais adiante e meio oculto nas sombras, está outro homem latino, vamos chamá-lo TAMBÉM de JUAN." No ambiente, as armadilhas da "latinidade": "Fotografias antigas em preto e branco, a maioria de mulheres e da vida na fazenda. Talvez a *Abuela* em sua terra." Do nada, aparecem outros homens não brancos. Eles querem sexo grupal. "A gente é selvagem, dona", diz um deles. Os outros concordam em uníssono: "A gente não presta". Zola entra em pânico, mas Stefani se ajoelha sobre uma pilha de dólares amassados e enfia o dedo na boca. É cercada pelos homens, que continuam de pé: um enquadramento inconfundível de pornô *hardcore*.

Então, como se o filme hesitasse em seguir adiante do ponto em que se meteu, Stefani quebra a quarta parede. Somos apresentados à versão dela da viagem de carro, baseada no *post* da Stefani original (uma mulher chamada Jessica) publicado no Reddit depois que os *tweets* de King viralizaram. Keough, como Stefani, faz um relato afetado dos eventos, retratando-se como respeitável, e fazendo de Zola uma caricatura exagerada, "muito promíscua, muito preta". Na dramatização, Zola veste um saco de lixo, seu afro despenteado está salpicado de feno. Essa excursão ao outro lado da história pretende destacar por contraste a representação contraintuitiva, no filme, de Zola como "elegante" – "comportada", pode-se dizer – e de Stefani como "nojenta".

Davi, da série *Axs Nossxs Filhxs* (detalhe), 2021

No entanto, a câmera se afasta e outro padrão racial entra em foco. Os homens brancos no filme às vezes são racistas, mas a maioria é lamentável ou risível; os homens latinos, indistinguíveis, são perigosos e transgressores; os homens negros não são clientes, mas cafetões, e são eles que vemos sendo agressores. Com a ajuda de (nas palavras do roteiro) "UM CARA NEGRO BEM GRANDE", um cafetão rival de pele escura e dentadura de ouro sequestra Stefani e a deixa inconsciente, então aponta uma arma para a cabeça de Zola enquanto enfia os dedos nela. Além de Zola, as únicas mulheres negras são a garçonete burra, colega de trabalho, e um bando de *strippers* rechonchudas interpretadas por figurantes, que parodiam um círculo de oração antes de dançar, pedindo que Deus mande "uns negões educados, sem dívidas e de pau grande". É quase estranho que um filme tão empenhado em reverter estereótipos sempre pareça reforçá-los.

As expectativas do público em relação a raça podem ser manipuladas por efeitos cortantes, hilários – idealmente quando os artistas expõem a promiscuidade e as contradições dos estereótipos em relação a todo mundo, em vez de recapitular apenas as ideias erradas que os brancos têm de pessoas não brancas como sujas, selvagens, pobres, violentas, lascivas etc. Esse foco na patologia da branquitude é um tema nos curtas-metragens de Bravo; também não surpreende ver tal fetichismo em *Zola*, filme escrito em parceria com Jeremy O. Harris, que ganhou notoriedade pelo drama ostensivamente "nervoso" *Slave Play* (2018) e é presumivelmente o responsável por deixas como "coxas negras encontram um tórax branco". A câmera de Bravo às vezes se move caprichosamente, dando-nos panorâmicas agourentas pela janela do carro: uma bandeira dos Estados Unidos, uma grande cruz branca, e – uma inserção desagradável da diretora – uma cena de violência policial vista de longe. Talvez seja tolice pedir que a reflexão política de um filme da A24 vá além de apontar o sofrimento.

No entanto, é uma pena que *Zola* evite nos dar a verdadeira Zola. O filme infantiliza essa mulher e a vitimiza, doma-a com uma respeitabilidade sisuda que parece incongruente com as falas que pega emprestadas dos *tweets* de King. Zola diz ser o tipo "de piranha que faz nu frontal", mas nós a vemos coberta a maioria do tempo, a dança dela é mais Alvin Ailey do que *P-Valley*.[1] Zola sabe que "boceta vale bem mais de mil" e, no entanto, o filme sugere fortemente que, nas palavras dela, não

1. Alvin Ailey foi um coreógrafo negro norte-americano responsável pelas primeiras companhias de dança integradas após o fim das Leis Jim Crow e fundador do Alvin Ailey Dance Theather em NY. *P-Valley* é uma série de TV que acompanha a vida de *strippers*, inspirada na peça de teatro *Pussy Valley*. [N. da T.]

roda bolsinha nem "faz programa". A história obscena de King só faz sentido se você sabe que ela já fez trabalho sexual, o que admite orgulhosa e livremente.

Pela timidez com que aborda esse aspecto, o filme faz de Stefani, inadvertidamente, a mais intrigante das duas mulheres. Até King concorda. "Provavelmente ela é minha personagem favorita no filme", afirmou. Bravo explora o corpo loiro com uma mistura contraditória e inebriante de desejo e nojo, piedade e desdém. Enquanto isso, a heroína negra do título parece simplesmente ornamental – bonita, mas extrínseca –, instrumental apenas no sentido de que se torna útil, a ajudante/salvadora/criada negra, mas não a estrela. Stefani é o centro da ação, Zola é apenas a moldura.

Essa pode ser uma diferença entre formatos de mídia. Os *tweets* de King usam o que os críticos chamam de "dupla narrativa": a Zola no presente descreve a Zola no passado e faz comentários sobre ela. No filme, porém, só temos acesso basicamente à personagem como agente no momento, não como narradora; algumas de suas melhores falas são desperdiçadas em diálogos reativos. De certa forma, a adaptação a silencia. Bravo contou como ela explicou o papel a Paige: "É mais como um personagem de filme mudo, você é uma observadora". É verdade. É difícil imaginar a Zola no filme contando essa história labiríntica e cheia de sexo sob a forma de 148 *tweets*.[2]

2. A narrativa, depois publicada em livro, foi apagada do Twitter, mas os *prints* estão compilados em: www.dontdiewondering.com/check-out-the-full-zola-twitter-thread-ahead-of-jaw-dropping-new-movie/. [N. da T.]

—

Ou mais: na verdade, A'Ziah "Zola" King escreveu quatro versões da série de *tweets* que veio a ficar amplamente conhecida como *#TheStory*. Os roteiristas que a adaptaram tendem a usar outro nome:

> Nós a chamávamos de #TheThotessy [#APutodisseia], e o que realmente desejávamos era que dialogasse com algo como os primórdios da literatura ocidental, numa conversa com Homero... Não queríamos ir além do nosso material fonte, queríamos olhar para ele como se estivesse acima de nós... Dedicamos toda a imaginação, o cuidado e o amor que dedicaríamos a uma obra literária que amamos e lemos na escola a essa obra literária tão amada que todos nós lemos no telefone.

Criar esse gênero de, por assim dizer, "Twitteratura" exigiu que Bravo e Harris repisassem em algo bem menos comum e menos precioso do que o baú da *Odisseia* de Homero e a gíria *thot* (um acrônimo para "*that ho over there*", ou "aquela puta lá"). Os produtores até conseguiram que a A24 publicasse os *tweets* num impresso, com tipografia *hipster* e uma capa roxa cintilante, para "legitimar as coisas para as pessoas", segundo King.

Mas o Twitter, sua mídia digital, é crucial para *#TheStory* – e vice-versa. Dizem que a popularidade de seus 148 *tweets* estimularam a rede social a desenvolver a função de "*threads*", que transformou a gramática da plataforma (na bio de King no Twitter ainda está escrito "Eu inventei as *threads*").

Em seus *tweets*, King não se mostra como alguém nobre ou uma heroína sobre-humana; ela nem sequer tem uma jornada. *#TheStory* ressoa menos como épico do que como conto popular, mais exatamente como as *Mil e uma noites*, em que Sherazade, a heroína, e sua irmã, Dunyazade, precisam evitar o estupro e o assassinato usando a inteligência e suas habilidades para contar histórias. A arte delas é converter o potencial erótico de seus corpos na promessa de narrativas. A estratégia de King para iniciar a narrativa é tão antiga quanto os contos de fada — ou a profissão mais antiga do mundo. Você faz uma pergunta: "Vocês aí querem ouvir a história de por que eu & essa puta aqui paramos de nos falar????????". Então arrasta uma resposta: "É daquelas histórias longas, mas cheias de suspense".

O conto popular incorpora outros gêneros: o romance trágico, a comédia, a poesia, a sátira, o picaresco e até o erótico (como na história sutilmente intitulada "Ali com o membro grande" em *As mil e uma noites*). Eles às vezes estão aninhados, o fio que os conecta não é a heroína, mas as narradoras, que coreografam técnicas narrativas com maestria – ganchos, insinuações, falta de credibilidade – para encantar o leitor. Ou melhor, os *leitores*. A moldura e o código são apenas uma desculpa para reunir algumas histórias que as pessoas vêm contando juntas há muito tempo. É, na essência, um formato comunal.

É assim que eu também descreveria o Twitter. Em seu prefácio para a edição impressa de *#TheStory*, Roxane Gay afirma que "a plataforma é um mercado cacofônico... É um espetáculo interminável." King comenta ter descoberto "aquela interação ao vivo, aquela essência da contação de histórias", quando estava publicando seus *tweets* – alguns viralizaram por conta própria e isso se atribui ao "exato momento" no

Alexander, da série *Axs Nossxs Filhxs* (detalhe), 2021

Twitter: "Não sei se isso poderia ser capturado outra vez... aquela essência de um momento num espetáculo ao vivo".

—

Essa estrutura de uma sociabilidade é o que torna o Twitter atrativo para pessoas negras, tanto que existe um subconjunto na plataforma com seu nome próprio (o Black Twitter). Trata-se de um fato marcante que a maioria das análises da internet ignoram de forma deliberada: as pessoas negras usam as mídias sociais desproporcionalmente. A artista Aria Dean cita uma pesquisa do Pew Research Center de 2015 concluindo que "aproximadamente metade dos usuários negros da internet estão no Instagram, contra menos de um quarto dos usuários brancos. O Twitter tem uma distribuição mais uniforme, mas ainda é, em grande parte, conduzido pelas minorias." De acordo com a crítica Lauren Michele Jackson, os memes "gravitam em torno do modo como as pessoas negras falam... se baseiam nos modos de improvisação da cultura negra".

Os *tweets* de Zola são inquestionavelmente infundidos de negritude. Parte disso é apenas o *Black English*, que o livro *#TheStory* nos apresenta em toda a sua glória: a grafia fora da norma, próxima da oralidade [*wanna* (qué/quero), *wit* (sagaz), *ima* (eu sô/tô), *cus* (purquê), *naw* (num), *dis* (disrespeito), *dawg* (cara), *aiight* (tudo bem)]; a elipse de verbos [essa história (é) longa, a gente (estava) falando; esse idiota (tinha) saído]; tempos, aspectos e modalidades verbais característicos [eu tinha ido; ele tinha acabado de me promover]; ênfases hiperbólicas [rabo grande e velho, belo rabo, rabo exausto, rabo triste]; repetição rítmica [sinto seu sentimento, ok ok ok] e ofensas simbólicas [puta, negão, piranha]. O mais delicioso para mim são as palavras e expressões idiomáticas [esfarrapado, meu bem], algumas clássicas [partiu, não viaja], outras abençoadas por sua inventividade linguística [vibrando com nossa piranhagem, tô ali no fundo mutada]. Contudo, ela não hesita em usar um registro mais elevado [verbatim, bipolar, lívida]: o vernáculo da internet, com seus acrônimos e pontuações, estala em meio aos *tweets* dela, levando *#TheStory* ao limite do reconhecimento fônico [aaaameeeudeeeusss]. E desde o *tweet* de abertura com uma pergunta até "continua comigo. Tá quase acabando" e "(PRESTATENÇÃO NISSAQUI)", encontramos apartes direcionados ao público.

Toni Morrison mapeia esses elementos da estética negra em "Rootedness: The Ancestor as Foundation" [Enraizamento: Os ancestrais como fundação], ensaio de 1984: "O relacionamento afetivo e participativo entre o artista ou o orador e o público [...] é de uma importância fundamental. Fazer a história parecer oral, cheia de meandros, sem esforço, falada." *#TheStory* também tem um tom específico. Depois que o cafetão trepa com a garota branca na frente de todo mundo, o namorado branco dela diz “quero ir pra casa”, e Zola tuíta “😂😭😂💀😭😂 ri alto. Não consegui evitar.” Essa pequena sequência de *emojis* rindo, chorando e “morta” (ou seja, “morri de rir”) encapsula a ironia que Ralph Ellison encontra no tom “quase trágico, quase cômico” do blues, que ele define como “uma crônica autobiográfica de uma catástrofe pessoal expressa liricamente”. A crônica-em-*tweets* de King é um novo fio tecnológico desse lirismo negro tragicômico.

Este tipo de ironia é construído em relação às posições do escritor negro, um paradoxo inaugurado pela narrativa de escravizado, que está condicionada a uma suposta impossibilidade: *Estou escrevendo uma história sobre uma condição que proíbe a alfabetização*. Desde o começo as pessoas questionaram a autoridade e a autoria de King. Ela desconsidera aqueles que duvidam ou menosprezam sua história: “As pessoas [...] simplesmente não querem acreditar nas mulheres negras”.

Como Naná, King exibe sua sexualidade desavergonhadamente no palco; ao contrário de Naná, ela traduz isso em palavras – *online*. Essa “Zola” é literalmente uma autocriação. Enquanto Émile herdou o nome de seu pai italiano (significa “monte de terra”), A’Ziah King o escolheu para si – não por alguma razão literária elevada, mas como ela explicou quando lhe perguntei no Twitter: “Pq eu precisava de um nome de guerra & pq gostei desse. Eu inventei. Escrevi e ficou bonito.”

Com a internet, a prostituta enfim encontrou seu meio. Os “povos, e multidões, nações e línguas” da prostituta da Babilônia; as massas em *Naná* que soam como “o trinado de um bando de pardais tagarelas”; a vitrine da galeria cheia de bugigangas, “todas com o mesmo selo com uma andorinha azul”, como as *hirondelles* em suas cornijas – essas pessoas e coisas que amam enxamear em volta da puta estão *online* hoje. Textos, imagens, vídeos e GIFS se reúnem num espaço híbrido semelhante ao teatro, um parque de diversões diário que faz malabarismo com as normas e hierarquias e cuja efemeridade diversa – o caráter viral, interativo, improvisado, relativo e temporário – permite que a puta continue dançando.

Se a prostituta sempre foi um meio, *#TheStory* é radical o suficiente para nos oferecer uma reflexão de uma prostituta de verdade sobre aquele meio. A Naná de Zola e a Zola de Bravo e Harris observam um corpo refletido no espelho. Mas King volta seu pensamento para aquele corpo, especificamente para suas condições materiais. É reveladora a frequência com que ela se refere ao trabalho sexual como *trabalho* em *tweets* e entrevistas:

> É um serviço, e é trabalho duro. Nós não viemos todas do mesmo contexto, não crescemos todas no mesmo bairro nem estamos esperando ser resgatadas ou salvas de alguma coisa. Algumas de nós, como eu, apenas confiamos na nossa sexualidade e a expressamos de determinada forma, e gostamos de ganhar dinheiro.

Ao mesmo tempo, ela destaca que o filme mostra uma "realidade bem mais sinistra", "bem mais dramática e violenta" do que a experiência dela: "Eu nunca fui assediada ou tocada, ou explorada daquele jeito". Ela enfatiza que "o trabalho sexual e a exploração sexual são duas conversas completamente diferentes [...]. As pessoas misturam as duas. Há uma grande diferença, que é o consentimento." King não está interessada em julgar ou idealizar a prostituição. Ela quer ser protegida e paga como trabalhadora sexual, e deseja que isso se estenda a outras colegas da categoria.

Ela quer o mesmo para as artistas também:

> Em relação a escritoras negras e artistas negros e mulheres negras, só quero que elas [...] compartilhem suas histórias [...] e reivindiquem a agência da sua voz. Muitas pessoas me procuram dizendo coisas do tipo... Não acredito que você foi paga pela sua história, e me pergunto: por que isso é tão raro?

Em janeiro de 2022, King criticou o Independent Spirit Award no Twitter por não a ter indicado como roteirista nem a convidado para a cerimônia de premiação. Mas, se você visitar o perfil @_zolarmoon, vai encontrá-la anunciando sua página no OnlyFans, geralmente com a frase: "Assistam ao meu pornô, assim posso pagar meu aluguel. Obrigada ♡🔥😘."

Namwali Serpell (1980) nasceu na Zâmbia e vive nos Estados Unidos. Professora de inglês em Harvard, é autora dos romances *The Old Drift* e *The Furrows: An Elegy*, este último presente nas principais listas de melhores lançamentos de 2022. Em *Stranger Faces* (2020), está reunida parte de sua produção ensaística. Este texto, assim como "Buraco negro", publicado na *serrote* 39, saiu originalmente na *New York Review of Books*.
Tradução de **Stephanie Borges**

Da série *Axs Nossxs Filhxs* (detalhe), 2021

Artista, intelectual e educadora, **Lia D Castro** (1978) realiza obras inspiradas em sua experiência como mulher trans negra e prostituta.

PRA ONDE

A GENTE

TÁ
INDO

Paloma Vidal

Este é o meu trabalho:

Abril de 2021

Em abril de 2022,
com o calendário ainda atrasado,
voltei a dar aulas presenciais.
Quis dar de novo Introdução aos Estudos Literários.
Era o segundo ano em que eu dava esse curso.
Quer dizer, já dei esse curso várias vezes,
com outros programas.
Foi com ele que eu comecei a dar aulas
na Universidade Federal de São Paulo.

Acho que nunca disse isso a você, mas me lembro da primeira aula de IEL*, no primeiro semestre da graduação em 2009 (socorro, já faz muito tempo!). Lembro de como você estava vestida, da postura do seu corpo e imagino que você também deve lembrar desse dia, talvez tenha sido sua primeira aula na Unifesp. É curioso como sua lembrança desse dia deve ser totalmente diferente da minha, mas vamos lá... Assim que você entrou e foi organizando seus livros na mesa, já começavam os cochichos dos alunos que diziam que você se parecia com a Adriana Calcanhotto rs, e eu lembro de pensar que se você fosse como a ideia que eu tinha da Adriana Calcanhotto eu iria gostar de você rs.*

Parecida ou não com a Adriana Calcanhotto,
ao longo de 2020 pensei muito nestes versos:
"Há algo que jamais se esclareceu:
onde foi exatamente que larguei
naquele dia mesmo o leão que sempre cavalguei?"
Do jeito como esses versos voltaram pra mim
naquele momento, insistentemente,
o leão era uma coragem e uma ousadia,
e eu ficava me perguntando
onde exatamente isso tinha se perdido,
no amor, na idade, na política, na doença.
Ou em tudo isso misturado.
Em algum momento daquele ano,
trancada no apartamento com meus filhos,
gritando inutilmente pela janela,
eu comecei a ter muito medo.
O leão que eu acreditava cavalgar desde os 30
aos 45 tinha me abandonado.
Esse que me deu coragem de começar a fazer
apresentações como esta,
fora da sala de aula,
e quem sabe até dançar
que nem a Adriana Calcanhotto.[1]

Em abril de 2021,
abandonada pelo meu leão,
ainda dando aulas *online*,
decidi que mudaria totalmente
meu programa do curso de IEL.

Até ali, eu tinha seguido o combinado:
dar uma espécie de panorama
das formas literárias.
E tudo bem.
Mas precisei mudar o conteúdo
pra conseguir mudar a forma.
Eu vivo repetindo que essa separação
não existe – e não existe mesmo.
E no entanto e no entanto.

Introdução aos Estudos Literários I
1° Semestre de 2021
Profª. Paloma Vidal
Email: correntesliterarias@gmail.com

PROGRAMA:

Apresentação da proposta do curso

O que faz a poesia?
Leituras de Audre Lorde

Poesia e estranhamento
Leituras de Adrienne Rich

Poesia e experimentação
Leituras de Bernadette Mayer

Poema-ensaio
Leituras de Leslie Kaplan

Imagem na poesia
Leituras de Marília Garcia

O poema na cidade
Leituras de Leila Danziger

Poesia e resistência
Leituras de Stephanie Borges

Poesia e luto
Leituras de Tamara Kamenszain

Introdução aos Estudos Literários I
1° Semestre de 2021
Profª. Paloma Vidal
Email: correnteslíterarias@gmail.com

PROGRAMA:

Apresentação da proposta do curso

O que faz a poesia?
Leituras de Audre Lorde

Poesia e estranhamento
Leituras de Adrienne Rich

Poesia e experimentação
Leituras de Bernadette Mayer

Poema-ensaio
Leituras de Leslie Kaplan

Imagem na poesia
Leituras de Marília Garcia

O poema na cidade
Leituras de Leila Danziger

Poesia e resistência
Leituras de Stephanie Borges

Poesia e luto
Leituras de Tamara Kamenszain

Só na hora em que a Audre Lorde
entrou em sala
foi que consegui perguntar:
"Por que vocês estão aqui?"
Só com a Audre Lorde e, a partir dela,
com as outras poetas do curso
foi que consegui
fazer essa pergunta
sem achar que já sabia a resposta.
Alguma coisa aconteceu.
Eu terminei o semestre
achando que alguma coisa
tinha acontecido.
E no entanto e no entanto.

Passei o primeiro semestre de 2021 terminando de traduzir um livro de Tamara Kamenszain, *Libros chiquitos*. Faço traduções. Esse é também o meu trabalho. Com ela, eu terminaria o curso de IEL, falando de "Poesia e luto".

Talvez todos os meus trabalhos saiam de um mesmo lugar. Lembro de uma cena: numa sala de aula que ficava no térreo de uma casa onde meus pais tinham consultório nos anos 80, eu ficava de pé, diante das cadeiras vazias, e ensinava para uma plateia que só existia na minha imaginação. Se eu tivesse uma memória melhor talvez eu lembrasse o que eu dizia pra essas pessoas imaginárias. Por mais que eu esprema minha cabeça, a lembrança não vem. Será desse lugar vazio que saem os meus trabalhos?

Abril de 2022

Em abril do ano passado,
voltei a dar aulas presenciais.
Talvez a presença das pessoas ali
tenha tornado necessária a pergunta:
"De onde vocês vêm?"
Acho que a pergunta ficou mais presente
pela distância que veio antes.
A primeira aula foi dedicada a isto:
a presença e a distância.
Sem que eu tivesse programado,
cada um e cada uma começou a contar de onde vinha,
quanto tempo demorava pra chegar,
quais eram os caminhos e as dificuldades.[2]

Vocês não sabem de onde eu vim

"Minha avó e meu avô não entendem esse corpo de minissaia. Na psicanálise, minha mãe encontra um jeito de falar dele e de liberá-lo."

Escrevi isso num romance que devia ser sobre uma separação, e é, mas é também sobre – sobre o quê? Ia escrever "minha mãe e eu". Minha mãe e seu desejo. Minha mãe e sua dor. Nossa dor. Ela estava trabalhando quando foi presa. Eu estava com ela, na sua barriga. Ela nunca pôde voltar ao seu lugar de trabalho. Era o início de uma vida. Das nossas vidas. Da minha vida. Da vida dela, trabalhando.

Perguntas para minha mãe:

- Em que ano você entrou na universidade?
- Seu pai e sua mãe queriam que você estudasse?
- Por que você escolheu psicologia?
- O que você esperava desse curso?
- Você trabalhava?
- Você teve contato logo com a psicanálise?
- Você se lembra do primeiro dia de aula?
- Como você ia até lá?
- Como era sua relação com os outros alunos?
- O que a universidade te deu?

Minha mãe é psicanalista. Psicanalista lacaniana. Minha mãe é argentina, nascida em Buenos Aires. Ela entrou na universidade há 60 anos, em 1963. Ela queria muito estar lá. Meus avós deram força, embora esse não fosse o mundo deles, uma família que tinha ascendido da pobreza à classe média, vivia fora da capital, trabalhava durante a semana, frequentava um clube nos fins de semana, e não tinha nenhuma vontade de sair dessa vida. Meu avô não queria que ela estudasse psicologia, ele não entendia para o que aquilo poderia servir, no que ela iria trabalhar. A psicanálise apareceu logo de cara, mas não com Jacques Lacan, e sim com Melanie Klein. Foi por aí que ela entrou, com as crianças. Seu primeiro trabalho foi no Hospital de Niños, um hospital público da cidade de Buenos Aires. Seu primeiro trabalho como psicóloga, porque antes ela teve outros, como, por exemplo, transcrever as aulas dos professores da universidade, que na época eram gravadas e depois viravam apostilas. Assim ela podia ganhar a vida, podia comprar uma roupa diferente, tudo o que meus avós consideravam um luxo, superficial, não essencial, mas que pra ela fazia parte de entrar nesse mundo novo, se vestir de um jeito diferente do que sua mãe se vestia, mostrar-se, usar uma minissaia. Minha mãe se casou de minissaia.

Eu começo o curso de IEL lendo três textos deste livro de Audre Lorde, *Irmã outsider*, em tradução de Stephanie Borges: uma entrevista com Adrienne Rich, "A poesia não é um luxo" e "Usos do erótico". Eu queria ler pra vocês agora um trecho breve deste último, que fala sobre o trabalho: "O horror maior de um sistema como esse é que ele rouba do nosso trabalho o seu valor erótico, o seu poder erótico e o encanto pela vida e pela realização. Um sistema como esse reduz o trabalho a um arremedo de necessidades, um dever pelo qual ganhamos o pão ou o esquecimento de quem somos e daqueles que amamos. [...] Como mulheres, precisamos examinar de que maneiras nosso mundo pode ser de fato diferente. Estou falando aqui da necessidade de reavaliarmos a qualidade de todos os aspectos de nossa vida e nosso trabalho, e de como nos movemos neles e até eles."

Junho de 2022

Estávamos chegando na metade do curso,
e no turno da noite eu resolvi perguntar
como estava indo o semestre.
Se tinham alguma pergunta,
algum comentário.
Uma moça ruiva, que eu só conheço
pelo cabelo e pelo olhar,
porque ainda usávamos máscara,
levanta o braço e diz:
"Professora, eu tenho uma pergunta."
Eu digo "adiante!",
animada porque alguém
se manifestou, porque o pior sempre
é ficar no vácuo.
Como professoras,
a gente quer ficar aqui na frente,
sendo ouvida, contando nossas histórias,
falando e falando,
mas a gente também quer que
quem está do outro lado fale,
pra que a gente tenha certeza
de que tem alguém ouvindo.
Então ela resolveu falar
e perguntou:
"Pra onde a gente tá indo?"
Eu ri, que é a primeira coisa que eu faço
quando não sei o que responder.
E depois eu disse:
"A primeira coisa que me vem à cabeça
é que a gente não está indo
pra lugar nenhum."
E no entanto e no entanto.

Vocês não sabem de onde eu vim

Pouco depois que minha mãe entrou na Universidade de Buenos Aires e durante boa parte dos anos em que estudou lá, no centro de Buenos Aires, no início dos anos 1960, ela morou em Florida, bairro na zona norte da região metropolitana. Quando ela fala desse bairro, ela sempre se refere à distância do centro e aos *monoblocks* onde ela morava. As duas coisas lhe davam vergonha, e ela nunca levava ninguém a sua casa. Eu nunca fui lá. Meus pais fizeram questão de ir morar juntos antes de se casarem e escolheram um apartamento bem perto do centro, perto das livrarias, dos cinemas, dos bares, da universidade, do hospital onde minha mãe trabalhava.

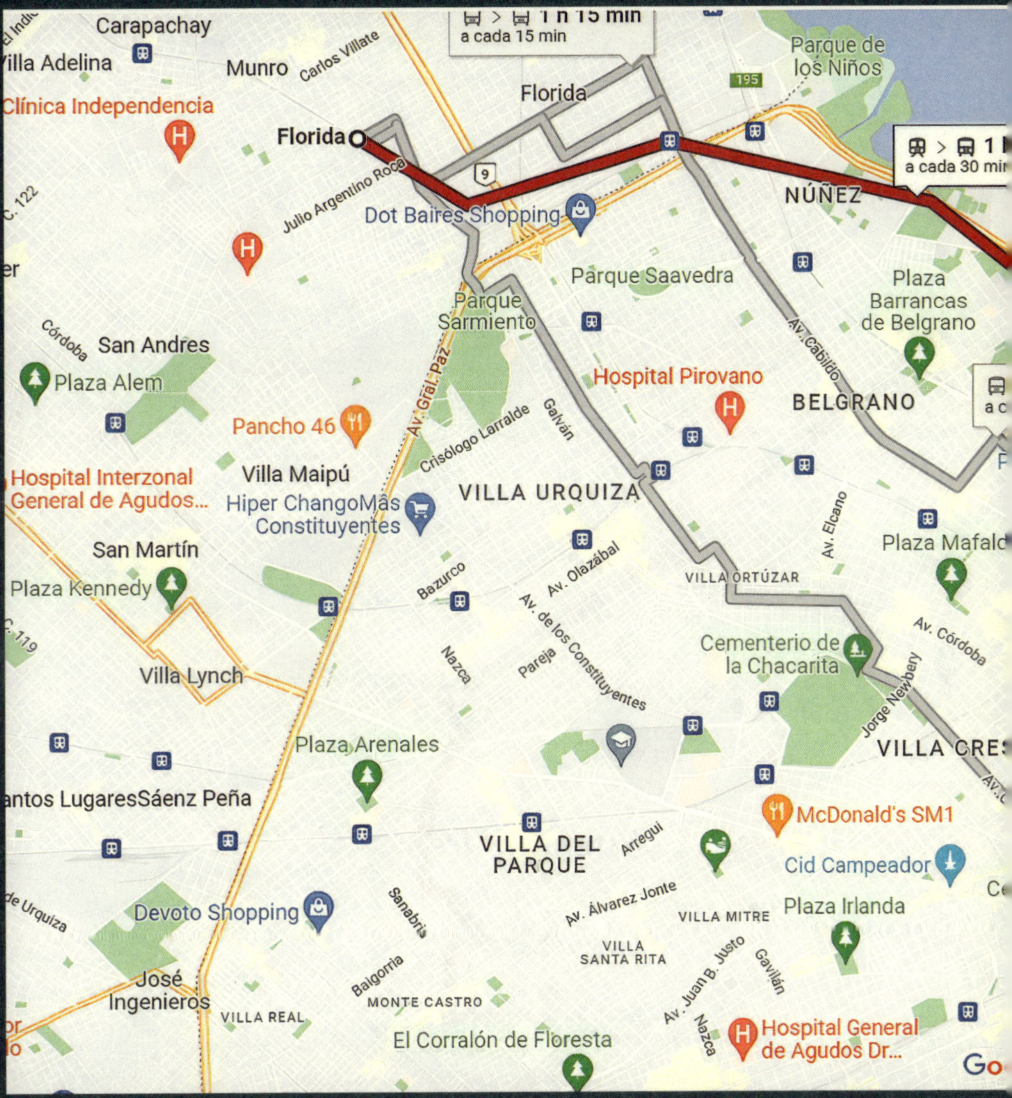

1 h 15 min
a cada 15 min
a cada 30 min
Carapachay
Villa Adelina
Munro
Carlos Villate
Florida
Clínica Independencia
Julio Argentino Roca
Dot Baires Shopping
Parque de los Niños
NÚÑEZ
Parque Saavedra
Parque Sarmiento
Plaza Barrancas de Belgrano
Av. Cabildo
Córdoba
San Andres
Plaza Alem
Av. Gral. Paz
Hospital Pirovano
BELGRANO
Pancho 46
Crisólogo Larralde
Galván
Hospital Interzonal General de Agudos...
Villa Maipú
Hiper ChangoMás Constituyentes
VILLA URQUIZA
Av. Elcano
Plaza Mafalda
San Martín
Plaza Kennedy
Bazurco
Av. Olazábal
VILLA ORTÚZAR
Av. de los Constituyentes
Av. Córdoba
Nazca
Pareja
Cementerio de la Chacarita
Villa Lynch
Jorge Newbery
Plaza Arenales
VILLA CRES
Santos Lugares
Sáenz Peña
McDonald's SM1
VILLA DEL PARQUE
Arregui
Cid Campeador
Devoto Shopping
Sanabria
Av. Álvarez Jonte
VILLA MITRE
Plaza Irlanda
VILLA SANTA RITA
Av. Juan B. Justo
Gavilán
José Ingenieros
Balgorria
MONTE CASTRO
VILLA REAL
El Corralón de Floresta
Nazca
Hospital General de Agudos Dr...

5 min
1 h 14 min
a 30 min
Av. Costanera Rafael Obligado
netario Galileo Galilei
Jardín Japonés
Zona Portuaria
PALERMO
PALERMO CHICO
Cementerio de la Recoleta
Plaza Serrano
BARRIO NORTE
RETIRO
1588 Ramos Mejia
Jose Maria Dr. Av.
El Ateneo
Grand Splendid
Av. Córdoba
Hospital Italiano
de Buenos Aires
Buenos Aires
Puente de la Mujer
arque
tenario
Parque
ivadavia
ALMAGRO
BALVANERA
MONTSERRAT
Av. Belgrano
Av. Jujuy
PUERTO MADERO
Faculdade de
Ciências Sociais UBA
1285 Humberto 1?
Av. La Plata
Av. San Juan
Usina del Arte

Há alguns anos, uma amiga argentina me indicou *Retorno a Reims*, de Didier Eribon. Na contracapa da edição em espanhol, Guillaume Boccara escreve: "É com muita delicadeza e honestidade que o sociólogo Didier Eribon nos convida a acompanhá-lo em sua genealogia de uma ruptura". Foi com essa ideia da "genealogia de uma ruptura" que entrei nele, pensando com quantas rupturas e continuidades se faz uma vida e como é parte essencial dela poder contar isso. Lá pelas tantas, Eribon lembra o seguinte: "No início da década de 60, nos mudamos para um prédio de moradias sociais que tinha acabado de ser construído, onde minha mãe, depois de muita burocracia, tinha conseguido um apartamento. Era um bom exemplo, acho, de moradias sociais implantadas no tecido urbano, dentro da própria cidade: três *monoblocks*, como se dizia nessa época."

Há algumas proximidades – e várias distâncias – entre o que minha mãe conta da sua vida nessa mesma época e o relato de Eribon. Em todo caso, lendo-o, me dei conta de uma relação entre universidade e deslocamento atravessada por sentimentos de vergonha e liberação, que liga experiências tão diferentes como as de uma argentina e um francês, mais ou menos contemporâneos, e as de pessoas que entraram na universidade pública brasileira, há pouco mais de uma década, graças ao projeto de expansão universitária dos governos do Partido dos Trabalhadores.

Além da plateia imaginária, eu tinha uma outra, feita de uma pessoa só: minha irmã, cinco anos mais nova. Lembro que eu a obrigava a ser minha aluna e a fazer as tarefas que preparava pra ela. Por que essa era minha brincadeira favorita? Para além do sadismo infantil, penso que talvez houvesse algo relacionado a alguma coisa que eu precisava saber e sentia que ninguém me ensinava. Como se eu quisesse ser a professora que eu mesma não tinha, pra entender alguma coisa que tinha ficado perdida em algum lugar de que não tinha nenhuma lembrança. Esse lugar que volta quando, irritada com nós duas, com nossa incapacidade de entendê-la, minha mãe nos acusa: "vocês não sabem de onde eu vim".

Agosto de 2022

Desde que, no primeiro semestre de 2017, quando eu estava me separando, dei um curso eletivo com o nome de "Escrita e separação", comecei a dizer que meus cursos na Unifesp são de "literatura e autoajuda". Mas não é bem isso. Quando chegou minha vez de entrar na universidade, quis estudar psicologia. Mas logo que entrei me dei conta de que esse não era o trabalho que eu queria fazer. Pra resumir, eu diria que meu lance era mais falar do que ouvir. Ainda assim, alguma coisa foi contrabandeada nessa passagem do curso de psicologia para o de letras. E o que eu tenho feito mesmo, em sala de aula, os lacanianos que me perdoem...

talvez seja uma psicanálise aplicada à sala de aula.

Daí que não tenho pedido como avaliação final trabalhos, provas ou seminários, mas algo que chamo às vezes de "Diário", às vezes de "Testemunho". Pode ser escrito ou audiovisual e é um texto autobiográfico, em que é preciso contar como foi o curso para você.

Em agosto de 2022, recebi os trabalhos finais do curso de IEL. Entre eles, o da aluna que tinha me perguntado "pra onde a gente tá indo?". Ela começava dizendo que antes de contar como foi o curso pra ela, precisava contar como estava antes de se matricular nele. Aí ela usa a expressão "modo de sobrevivência". E diz que sentia muito medo. Que estava muito cansada. Que esses últimos anos tinham sido muito difíceis. Que tudo precisava ter uma utilidade. Mas minha aula não parecia ter uma utilidade clara. Daí veio a pergunta, que na cabeça dela era uma pergunta simples, pra entender o que a gente iria aprender. Quando ela viu que a pergunta tinha me surpreendido, que eu tinha achado uma grande questão, que eu não sabia como responder, mas comecei a ensaiar, e acabei falando sobre a vida e a morte, e a viajar sobre a travessia e o caminho, e coisas assim, ela achou divertido, e achou que poderia se divertir, e sair do "modo de sobrevivência". E curtir a universidade, a juventude e a vida. Isso foi o que ela escreveu no final do trabalho.

Vocês não sabem de onde eu vim

Quando li isso, pensei nas vezes em que minha mãe me contou como foram seus primeiros anos na Universidade de Buenos Aires, a alegria de algo começando – a universidade, a juventude, a vida. Aí veio o golpe de 1966, do general Onganía. Minha mãe se formou em outra universidade, muito diferente daquela na qual entrou. Os anos 1970 começaram com muita incerteza e violência. A psicanálise ia indicando caminhos, ela começou a trabalhar no hospital. Ir para a universidade, entrar na psicanálise, trabalhar num hospital – esses haviam sido seus deslocamentos. Ela tinha uma confiança total nesse trabalho. Em 1976, um novo golpe, uma ditadura de uma violência inimaginável que veio, justamente, destruir essa confiança. Em 1977, o exílio. No Brasil, aos poucos, ela vai reencontrando seu trabalho, um trabalho que se privatizou. Não digo isso pra minha mãe. Digo isso pra minha analista. Quanto vale a hora dela? Quanto vale a minha? Ela se irrita, e eu já nem sei direito aonde eu quero chegar com isso.

Vou contar um sonho que eu acho que não tem nada a ver com isso, mas eu vou contar assim mesmo, porque foi um sonho que me impressionou muito... Estávamos eu, você e minha mãe, não sei direito em que situação, mas o que importa mesmo é o final do sonho... No final desse sonho... Eu acho que a gente estava em Buenos Aires, na verdade... Mas, bom, no final do sonho, a minha mãe se aproxima de mim e puxa um fio de pus da minha coxa, só que na verdade esse fio é uma pena... E ela vai puxando, e esse fio que era uma pena vira um pássaro inteiro... E eu acordo com a impressão desse pássaro inteiro saindo da minha coxa, rasgando a minha pele.[3]

Aonde eu quero chegar com isso?

Talvez nisto aqui:

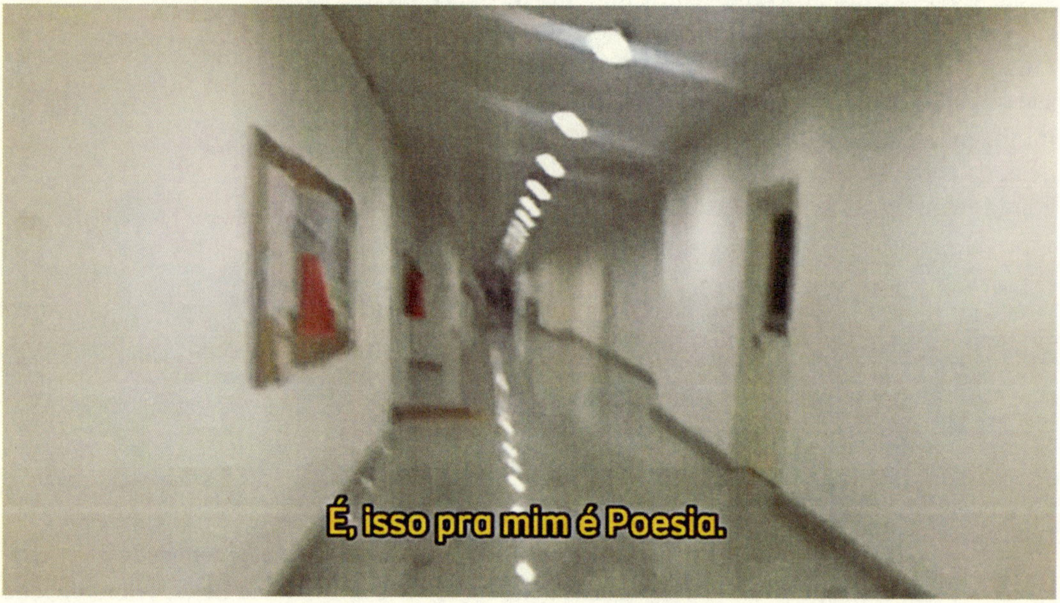

Assim termina o vídeo que uma das minhas alunas fez como trabalho de final do curso de IEL desse ano.[4]

Ou talvez nisto:

Passei o primeiro semestre de 2022 terminando de traduzir esse livro da Tamara Kamenszain, o último livro que ela escreveu, publicado pouco antes de sua morte, em 28 de julho de 2021. “E no entanto e no entanto” é um estribilho que se repete, como um ritornelo, ao longo do livro.

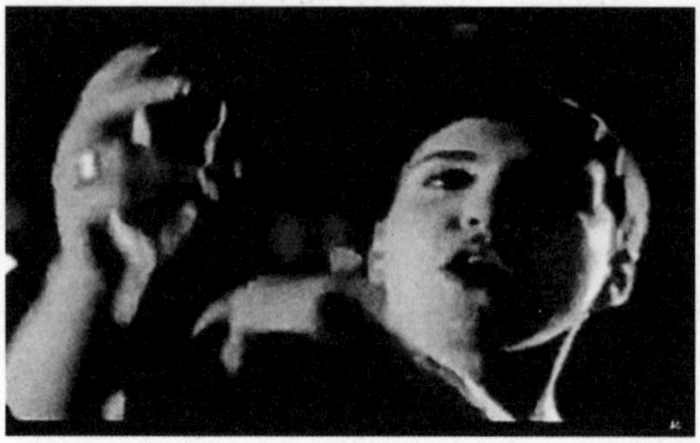

Enquanto vou pensando no fim
desta apresentação,
do curso de IEL,
do livro da Tamara,
ouço de novo os versos
da Adriana Calcanhotto
e anoto, para o futuro:
quem sabe dançar.

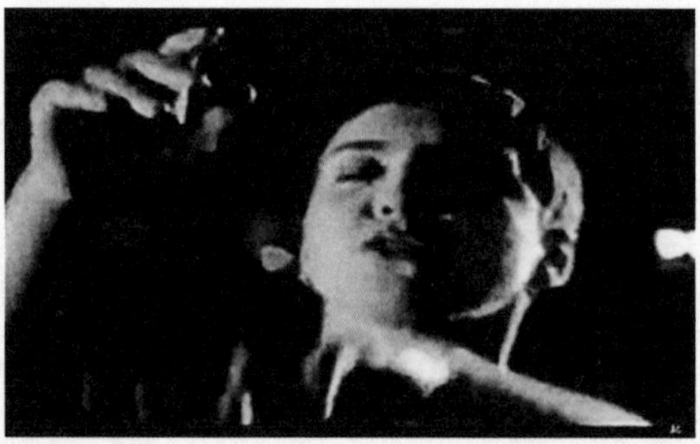

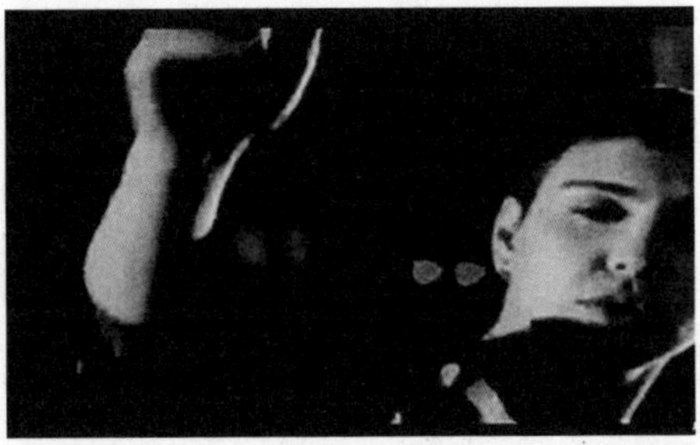

AGRADECIMENTOS
Alunes de IEL I (2021-2022), Beatriz Rodrigues, Mariana Caroline Almeida Santos, Mariane Tavares, Monique Amorim.

1. Videoclipe da canção "Inverno", de Adriana Calcanhotto. Disponível em: vimeo.com/824132530.
2. Início do vídeo de Mariana Caroline Almeida Santos, aluna do curso de letras da Universidade Federal de São Paulo. Disponível em: vimeo.com/824142774.
3. Áudio do sonho disponível em: soundcloud.com/user-527381437/sonho.
4. Final do vídeo de Mariana Caroline Almeida Santos, disponível em: vimeo.com/824152911.

Paloma Vidal (1975) nasceu em Buenos Aires, cresceu no Rio de Janeiro e vive e trabalha em São Paulo, como escritora e professora de teoria literária na Universidade Federal de São Paulo. É autora, dentre outros livros, de *Pré-história* (2020), *Mar azul* (2012) e *Mais ao sul* (2008).

Entre abstração e representação

Jed Perl

Artistas acreditam prescindir hoje da escolha entre as duas tradições, minimizando o que perdem na opção pelo ecletismo

Julie Mehretu
Mogamma (A Painting in Four Parts), 2012
Tinta e guache sobre papel-jornal
457,2 × 365,76 cm
Cortesia da artista e das galerias Marian Goodman e White Cube
© Julie Mehretu
Fotos: Benjamin Westoby

Nos últimos 25 anos, um grande debate que dominou as artes visuais ao longo de um século se desvaneceu sem chegar a qualquer conclusão. De um lado, os abstracionistas, com Mondrian exigindo uma arte de relações "puramente plásticas". De outro, os pintores e escultores representacionais, entre eles Giacometti, que nos anos 1940, bem no fim da vida de Mondrian, celebrou a salvação através do retorno à figura. O que estava em jogo naquilo que avultou em uma guerra de ideias era nada menos do que o futuro da pintura e da escultura.

E agora? Muitos artistas, críticos, curadores e frequentadores do circuito de arte parecem tão familiarizados com as estratégias da arte representacional e da abstrata que qualquer tentativa de investigar mais a fundo as raízes da escolha de um artista é reiterar o óbvio. Quando olho para a arte contemporânea – passando tanto pelos trabalhos de nomes celebrados como Gerhard Richter e Julie Mehretu quanto pelo de uma

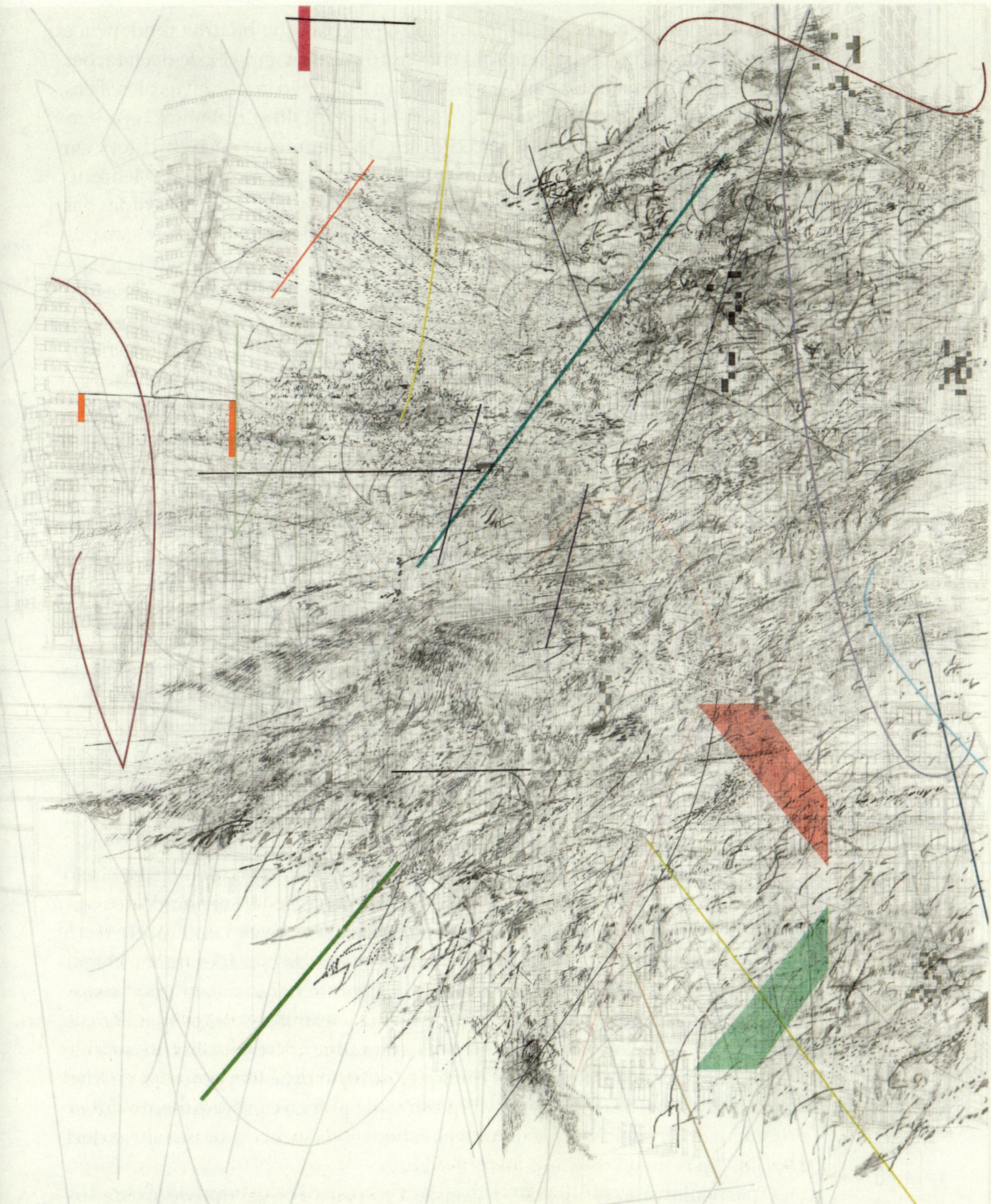

recém-chegada como Michelle Rawlings –, percebo que há uma tendência a adotar a abstração e a representação enquanto veículos, em vez de declarações de princípios; como meios para se chegar a um fim, e não imperativos filosóficos. Em um breve intervalo de tempo, um artista pode realizar trabalhos representacionais e abstratos que não se parecem em absolutamente nada (Richter). Ou justapor elementos representacionais e abstratos na mesma pintura (Mehretu). Ou apresentar pinturas representacionais e abstratas, umas muito próximas das outras, em uma mesma exposição (Rawlings). Ao que parece, artistas acham possível ser representacional num instante e, logo depois, abstrato. Simone Leigh, escultora que representou os Estados Unidos na última Bienal de Veneza, disse: "Eu oscilo num vaivém entre a abstração e a figuração". Mas isso é realmente possível? Quando digo possível, me refiro ao pleno domínio de uma linguagem artística.

Essa nova atitude certamente tem seus atrativos. Muitos dos velhos argumentos em favor da abstração ou da representação eram grosseiros, dotados de uma beligerância intransigente. Se toda uma geração de artistas, críticos e curadores rejeitou aquilo que considerava adstringências do modernismo em favor de uma variedade de pós-modernismos – termo que possui toda a sorte de significados, alguns altamente contraditórios –, pode haver uma sensação de que chegamos ao fim das ideologias artísticas. Eu certamente não gostaria de voltar ao tempo, há uns 70 anos, em que Clement Greenberg (de acordo com alguns relatos) anunciou que "hoje não se pode mais pintar figurativamente". Naquela época, falou-se em traição quando Willem de Kooning montou uma exposição chamada *Pinturas sobre o tema da mulher*. Desse ponto de vista, a abordagem de Leigh – "eu oscilo num vaivém" – pode cair como uma luva. O curador Michael Danoff observou, a propósito de uma exposição de Richter em 1988, que sua decisão de trabalhar em "vários estilos em um só ano" era "emblemática da recusa em seguir *pari passu* com a ideologia". Ele citou Richter: "Eu passei a pensar e agir sem a ajuda de uma ideologia; não tenho nada que me ajude, nenhuma ideia a que obedeça ou pela qual eu seja reconhecido".

Representação e abstração deveriam ser encaradas como ideologias? Creio que não. É verdade que algumas vezes um viés ideológico foi atribuído aos estilos. Hitler e Stálin fizeram isso ao encampar a arte figurativa e banir todo o resto. Muito frequentemente, todos os artistas de vanguarda consideraram a abstração como um símbolo do progresso humano. Representação e abstração – e suas variações quase ilimitadas – não são de forma alguma absolutos ideológicos, pelo menos quando celebradas por um explorador artístico solitário, seja ele Edward Hopper, Mark Rothko ou qualquer outro artista. Um processo criativo é uma busca filosófica, moldada por questões de prática e procedimento que se estendem do primeiro toque do pincel, esponja ou cinzel do artista até as decisões finais a respeito do que constitui a fatura.

O particularismo estilístico – a decisão a respeito de qual tipo de artista abstrato ou representacional alguém será – molda, aprofunda e expande os poderes imaginativos do artista. A maioria dos que trabalham ao longo de muitos anos vê seu estilo evoluir, às vezes dramaticamente. Nos anos 1930 e 1940, Giacometti, que a princípio foi admirado por esculturas surrealistas em que elementos representacionais são dispostos em estruturas essencialmente abstratas, viu-se cada vez mais concentrado na observação direta da figura humana. Aquilo que em meados dos anos 1940 poderia parecer uma indiscriminada transformação de sua linguagem artística foi resultado de um acúmulo gradual, em quase cinco décadas de carreira, de decisões individuais interconectadas. Elas reforçavam umas às outras. Elas se somavam.

A arte acadêmica é aquela em que o estilo se converteu em ideologia. Estamos certos em rejeitá-la. Mas isso não significa que não haja diferenças importantes e distinções a serem feitas. Essas eram as questões com as quais Giacometti estava se debatendo nos anos 1930 e 1940. Em 1954, à época do 25º aniversário da fundação do MoMA, Alfred H. Barr Jr., o primeiro diretor e guia espiritual do museu, refletiu sobre as rivalidades apaixonadas que animavam a arte do século 20:

> Uma das principais autoridades em cubismo ainda insiste que um Mondrian não é de forma alguma uma obra de arte; um devoto de Mondrian denuncia o surrealismo de Ernst e Dalí como uma perversão da verdadeira arte; um dadaísta de 1920 acha tedioso o expressionista abstrato dos anos 1950.

Barr queria enfatizar que tais diferenças, para alguns apenas um “bate-boca”, eram importantes, “reais e significativas, desenvolvidas lentamente, defendidas com paixão e expressivas não apenas de convicções artísticas, mas frequentemente de filosofias de vida profundamente refletidas”. Essas “filosofias profundamente refletidas” são os compromissos que artistas firmam consigo mesmos e, assim o esperam, com os que possam se interessar por sua arte.

Talvez a mais discutida tentativa de unir abstração e representação nos últimos anos esteja em algumas pinturas de Julie Mehretu, tema de uma enorme retrospectiva que ocupou o Whitney Museum em 2021. Quando essa artista nascida em 1970 sobrepõe elementos abstratos e representacionais em suas telas enormes, cria uma elegante ofensiva. Seu trabalho tem abertura e amplitude, dispondo formas e marcas conflitantes em arranjos mais rígidos ou frouxos, sugerindo variadas velocidades e interações – uma espécie de dança. Há uma insinuação de mundos dentro de mundos; quando vi suas pinturas pela primeira vez, há alguns anos, lembrei dos espaços profundos e quase *sci-fi* das abstrações que Al Held produziu em sua fase final.

Nos últimos anos o trabalho de Mehretu tem ganhado admiradores entusiasmados. Acho que é seguro dizer que não fui o único visitante do Whitney que ficou bastante perplexo – e finalmente desconcertado – por suas brilhantes justaposições de elementos representacionais e abstratos. Acredito que o trabalho de Mehretu tenha algo a nos dizer sobre o esvaziamento das convenções representacionais e abstratas. O problema começa quando nos demoramos na tentativa de navegar por suas complexas composições. Com frequência, Mehretu apresenta, sob a fuzilaria de marcas abstratas, uma rede de formas arquiteturais – ou ao menos arquitetônicas – em um estilo seco e linear (e provavelmente gerado por computadores). Sua atitude representacional é gélida na mesma medida em que sua atitude abstrata é febril. Mehretu quer criar uma espécie de diálogo, no qual formas abstratas intervêm em um mundo representacional. Ou estaria ela em busca de algo mais próximo a uma guerra entre os mundos representacional e abstrato – em que cada um deles tenta, visualmente, ganhar no grito?

Existe um método nessa cacofonia, um método que a maioria das pessoas só começa a captar quando se volta para os títulos e os comentários sobre as pinturas. Entre seus trabalhos mais discutidos está *Mogamma*, de 2012, uma enorme composição em quatro partes que configura sua reflexão em torno dos eventos da Primavera Árabe. De pronto, o que deve atingir o espectador são as torrentes de marcas pretas que cobrem as superfícies de quatro telas verticais, a *grisaille* acompanhada por um contraponto austero de alguns elementos coloridos do *hard-edged*, incluindo linhas, formas de quatro lados, um triângulo e um círculo. Examine essa elegante superfície por mais tempo e você descobrirá, por trás de toda a marcação, composições de janelas, arcos, fachadas.

A denúncia está no título. O Mogamma é um prédio do governo localizado na praça Tahrir, no Cairo, onde ocorreram alguns dos confrontos mais importantes da Primavera Árabe. Ao ler sobre o trabalho de Mehretu, descobrimos que a colagem de elementos arquiteturais elaborada por ela faz referência a inúmeras praças onde confrontos políticos tiveram palco, incluindo a praça Tiananmen, em Pequim, a praça Vermelha, em Moscou, a praça da Revolução, em Havana, e a praça Meskel, em Adis Abeba, onde ela nasceu e passou os primeiros anos de sua vida. Não acho que seja fácil discernir o que a frenética marcação abstrata de Mehretu tem a ver com essas representações esquemáticas de tais lugares. A sobreposição abstrata pretende sugerir uma turbulência social caótica, uma ruptura da velha ordem? Talvez. Mas o confronto parece estático. Certamente não é uma vantagem o fato de o significado dos elementos arquitetônicos ser ininteligível sem a ajuda de uma cola.

Mehretu é uma intelectual. Consigo ver aonde ela quer chegar quando observa que "a arquitetura reflete as maquinações da política, e é por isso que me interesso por ela enquanto uma metáfora dessas instituições. Não penso na linguagem arquitetônica simplesmente como uma metáfora do espaço, mas dos espaços de poder, das ideias de poder." Pode ser, mas as composições arquitetônicas friamente conceitualizadas em suas pinturas não têm nenhuma ressonância metafórica. Elas não sugerem poder, e muito menos políticas de poder. A representação é uma linguagem de complexidade extraordinária, que um artista precisa habitar completamente, mas o que Mehretu apresenta são meras

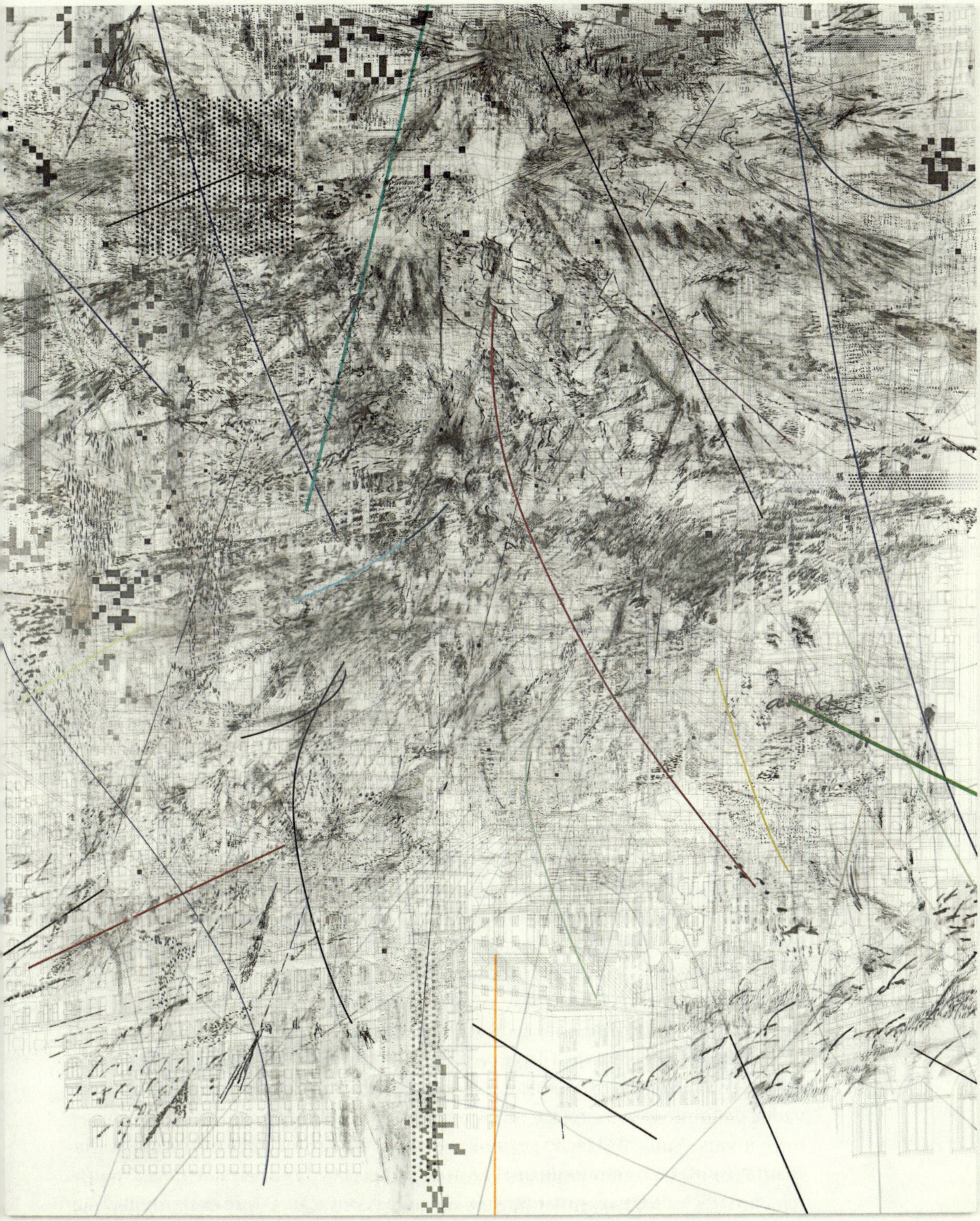

imagens – elementos fixados, inescrutáveis. No que diz respeito à ênfase na abstração feita de marcas, trata-se de algo que também equivale a uma depreciação de uma tradição maior. Para que as marcas sejam significativas, precisam estar ligadas a alguma visão de uma realidade alternativa, uma nova realidade; é o que encontramos no expressionismo de Kandinsky, De Kooning e outros artistas.

Mehretu deseja que acreditemos que ela tem grandes aspirações quando combina todos esses elementos. Mas a grandeza é sobretudo uma bravata. Em *Mogamma*, a abstração e a representação são pouco mais que um clichê, sendo que a representação representa o poder e a abstração representa a revolta. Isso não nos leva muito longe. Teoricamente, a justaposição e a combinação de diferentes sistemas pictóricos podem parecer excitantes. Mas a experiência de uma obra de arte não é uma questão de teoria (o que não quer dizer que artistas e público não podem se interessar pelas teorias); ela é visceral, seja nas abstrações simples de Mondrian ou nos retratos encrespados de Giacometti.

Fiquei impressionado com a quantidade de pessoas que se mostraram ávidas por discutir suas reações muito conflitantes à exposição do Whitney. E fiquei intrigado quando vi Roberta Smith, uma das principais críticas do *New York Times*, observar em uma resenha sobre as gravuras de Mehretu que seus trabalhos em escala mais modesta "exalam uma certa exuberância, evitando a frágil impessoalidade e o melodrama formal frequentemente exibido em suas pinturas".

Pós-modernismo é um termo que ouvimos muito menos hoje do que há 20 anos, mas a ênfase pós-moderna em um relaxamento da disputa artística – uma percepção de que a história da arte acabou e estamos agora desfrutando de um vale-tudo artístico – é uma forma de compreender o colapso da representação e da abstração como sistemas de valores distintos. Para Mehretu, é claro, trata-se de valores distintos, mas tão privados de grande parte de sua autonomia e autoridade que aquilo que ela deseja apresentar como um drama épico mais parece um posicionamento oficial. A representação e a abstração se tornaram sombras do que já foram; não filosofias, mas pacotes, mensagens, marcas. Pode-se dizer que Duchamp previu isso quando desenhou um bigode na *Mona Lisa*. E não há dúvidas de que ainda existem muitos artistas que estão lidando com as profundas implicações tanto da representação quanto da abstração. Mas, a esta altura, uma dedicação à representação ou à abstração de um tipo ou de outro pode parecer nostálgica, sentimental. Agora, quase sempre, representação e abstração são usadas para fins de ambiguidade e ironia, com resultados que vão do saturnino autoconsciente ao absoluto ridículo.

Gerhard Richter parecia estar propondo algum tipo de desafio com o alcance de seu trabalho, que inclui abstrações pictóricas e estudos revigorantes derivados de fotos de sua esposa, filhos, uma vela ou uma caveira. As composições individuais – uma abstração vermelho-sangue em um suporte em forma de diamante (1998) ou o estudo de um canto de uma fazenda coberta de neve (1999) – não são suficientes para justificar sua festejada reputação. O que exatamente está acontecendo aqui? Uma leitura da considerável literatura que cresceu em torno de seu trabalho deixa claro que os admiradores de Richter o enxergam como uma espécie de trágico moderno, à frente da suposta missão impossível que teria se tornado tanto a representação como a abstração. Não é o valor das obras individuais, mas a justaposição de obras representacionais e abstratas e seu impacto como um todo que explicam a enorme notoriedade de Richter.

Em entrevistas – e ele concede muitas –, Richter convida seus interlocutores a discutir seu trabalho em relação à morte da pintura e a outros temas em voga, e insiste quase invariavelmente que é indiferente a essas maquinações teóricas. Eu também não acho que ele esteja interessado em problemas pictóricos, exceto na medida em que pode perturbá-los. Numa época em que os críticos gostam de dizer que estão "problematizando" a arte, Richter oferece aos seus apoiadores do *establishment* da crítica uma dose de seu próprio veneno; eles acolhem sua relação paradoxal tanto com a representação quanto com a abstração, sem dúvida impressionados por ele estar problematizando os problematizadores.

Richter diz libertar a representação e a abstração de seus fardos ideológicos – a meu ver, o que ele faz é negar a riqueza filosófica de ambas. Isoladamente, as pinturas podem ser banais, mas quando tomadas em conjunto parecem inspirar – e seus admiradores estão ansiosos para fazer esse elogio – uma melancolia abafada e frustrada. Robert Storr, no catálogo da imensa retrospectiva que organizou 20 anos atrás no Museu de Arte Moderna, escreveu que Richter "provou ser capaz de manter unidos os fragmentos dispersos, mas ainda não entrópicos, da experiência e da consciência modernas". A entropia é o tema de Richter.

O espalhafato estilístico que, no trabalho de Richter, sinaliza um fim de jogo artístico pode facilmente sugerir um tipo de comédia, como se a abstração e a representação não fossem mais do que declarações concorrentes daquilo que está na moda, prestes a serem misturadas ou coladas para obter algum efeito novo e excêntrico. A exposição de Michelle Rawlings realizada no início de 2022 na Chapter NY, uma das novas galerias da Walker Street, em Tribeca, foi um exemplo disso. Algumas das pequenas pinturas eram representativas – estudos de mulheres jovens e elegantes. Outras, arranjos de pequenos retângulos em grelha. Tudo o que as unia eram suas dimensões diminutas e uma paleta timidamente sentimental de rosas e verdes-claros. Como uma espécie de acompanhamento às pinturas, Rawlings colou nas paredes da galeria, aqui e ali, pedaços de fitas antigas. Sua exposição pode ser julgada desimportante, uma pequena aventura. Considero-a sintomática – e, portanto, significativa.

Mais ou mesmo na mesma época, observou-se uma tática mais prodigiosa em uma exposição do conhecido artista britânico Keith Tyson, na Hauser and Wirth, onde ele apresentou uma série de naturezas-mortas executadas em todos os estilos, desde o realismo mais nítido a algo que beirava a abstração. O resultado foi friamente teatral; cada pintura sugeria pouco mais que uma mudança de figurino. Com Rawlings e Tyson – e eles não estão sozinhos –, o artista se torna um imitador de estilos, e o próprio estilo se torna um disfarce. Não tenho nada contra um baile de máscaras. Mas os grandes disfarces estilísticos (a obra de De Chirico me vem à mente) têm bases mais profundas. Há algo por trás da máscara.

Assim como muitas mudanças importantes na vida criativa e intelectual, as transformações que estou descrevendo são de tal maneira parte do ar que respiramos que corremos o risco de perder de vista suas amplas ramificações. Alguns vão apontar, com bastante precisão, que estilos representacionais e abstratos sempre foram adotados com graus maiores e menores de seriedade. E as misturas de elementos abstratos e representacionais remontam a um longo percurso – pode-se argumentar que elas são um aspecto essencial do êxito de Picasso. Mas o fato de a representação e a abstração nunca terem sido valores imutáveis ou absolutos não significa que elas não tenham se constituído em sistemas de valores dos quais os artistas dependem enquanto lidam com a inerente imprevisibilidade de seu trabalho.

Até algumas décadas atrás, artistas, críticos, colecionadores e gente ligada a revistas, galerias e museus esperavam ter uma noção clara de onde cada um se situava. Isso nem sempre foi fácil, como Barr apontou. Posições e pontos de vista mudaram. Dos anos 1930 aos 1960, nova-iorquinos mantiveram um acalorado debate sobre até que ponto o Museu de Arte Moderna e o Museu Whitney de Arte Americana favoreciam a arte representacional ou a abstrata, com as frentes de batalha mudando de tempos em tempos. Os combatentes às vezes demonstravam respeito considerável pelas opiniões arduamente conquistadas por ambos os lados.

Algumas das galerias mais estimulantes da metade do século, entre elas a Tibor de Nagy Gallery e a Tanager Gallery, adotaram uma visão pluralista. Mas o pluralismo não significava encobrir diferenças fundamentais. Havia um reconhecimento de que debates poderiam provocar inovações. Em um catálogo da Tanager Gallery, no final dos anos 1950, o crítico Irving Sandler, que trabalhou na galeria à época, observou que os artistas em questão – incluindo o pintor representacional Alex Katz e o pintor abstrato Alfred Jensen – eram "um grupo heterogêneo com diferenças artísticas irreconciliáveis" e falavam "sem reservas em nome de seus pontos de vista individuais". Ninguém duvidou de que a natureza essencial da arte, sua moralidade e sua metafísica estavam em jogo.

É claro que o problema com sistemas de valores é que eles podem se tornar esclerosados. Durante grande parte do século 20, a abstração foi apresentada, pelo menos por seus proselitistas mais declarados, como uma crítica à rigidez que eles sentiam ter dominado a representação. Ao mesmo tempo, a pintura e a escultura representacionais tinham seus próprios defensores ferrenhos, que enxergavam nessa espécie de retorno ao realismo uma rejeição da natureza demasiadamente prescritiva ou restritiva da abstração. Depois da Segunda Guerra Mundial, confrontando essas ideias concorrentes e muitas vezes confusas, o pintor Fairfield Porter, que por alguns anos foi o crítico de arte da *The Nation*, ponderou se as discussões entre artistas representacionais e abstratos não passavam de exibicionismo – ou até mesmo de teimosia.

Em um ensaio publicado em 1964 sob o impactante título "Contra o idealismo", Porter escreveu: "Tanto os realistas quanto os abstracionistas acreditam incorporar um ideal de arte que se traduz em cada obra como uma sombra: o realista fazendo um reflexo do mundo natural e o abstracionista fazendo um reflexo do mundo das ideias no sentido mais amplo, o que obviamente inclui ideias não verbais". Diabolicamente brincalhão, Porter prossegue embaralhando todas essas ideias. Ele comenta que as pinturas do realista Balthus, com seus interiores oníricos, eram conceituais e abstratas, e sugere que a manipulação visceral da pintura dos expressionistas abstratos – sem dúvida pensando em seu grande herói, De Kooning – era a realidade encarnada. "O real", escreveu Porter sobre os expressionistas abstratos, "é o que pode ser visto" – referindo-se às marcas abstratas na tela. No final de seu ensaio, Porter oferece seu próprio ideal, que ele apelida de "imediatismo ilógico" e o qual considera procedente do trabalho dos impressionistas, com sua relação direta, não mediada e – assim ele acredita – não teorizada com a experiência.

O argumento elementar de Porter, que me parece pertinente à situação em que nos encontramos agora, consiste na ideia de que muitos artistas que identificavam a si mesmos como abstracionistas ou realistas estavam produzindo pouco mais que ilustrações – "sombras" – de uma ideia ou ideal. Por volta de 1960, período em que Porter escrevia, as galerias de Nova York estavam lotadas de imitações da abstração pictórica que De Kooning só havia alcançado após uma longa e difícil luta – e que Porter admirava fervorosamente. Ele deve ter se preocupado, numa época em que o mercado de arte contemporânea estava explodindo, com a perspectiva de que o que mais importava era a aparência superficial da obra – se ela poderia ser rotulada como abstrata ou representativa, pictórica ou *hard-edged*. Pode-se discordar de alguns dos julgamentos de Porter como crítico; ele não era, por exemplo, fã das pinturas de Mondrian. O que mais importa em seu trabalho como crítico é sua disposição para levantar suspeitas num momento em que as posições estilísticas se transformavam em gestos vazios.

Pode haver algum alívio e até alguma sabedoria em promover o fim da batalha entre abstração e representação. Ou na celebração do casamento dos opostos, como propõe Mehretu. Nas décadas de 1960 e 1970, os defensores da abstração podiam ser brutais – e, francamente, cegos – em sua rejeição da arte representativa. Como um crítico que escreveu bastante sobre pintura representativa nas últimas décadas do século passado, testemunhei em primeira mão a hostilidade com que muitas vezes era recebido qualquer interesse entusiástico por uma figura, natureza-morta ou pintura de paisagem. Mas a solução para esse tipo de preconceito não é alegar que qualquer artista visual pode se expressar em qualquer linguagem visual.

Há uma ideia de que qualquer arte bem-sucedida é como todas as outras artes bem-sucedidas – pelo menos se acreditarmos que a beleza, em suas múltiplas formas, é, em última instância, uma única e mesma coisa. Todas as obras de arte duradouras são tão coerentes como complexas, com forças e contraforças que de alguma forma se unem em um todo que é mais do que a soma de suas partes. Mas essa suposição, que remonta pelo menos a Kant, não deve servir de disfarce para o que equivale a um ecletismo confuso.

Nos últimos anos, parece ter havido uma moda crescente que privilegia não apenas artistas, mas também exposições que apresentam a abstração e a representação simultaneamente. A David Zwirner Gallery reuniu obras de Giorgio Morandi e Josef Albers sob a rubrica "Never Finished", e a Milton Resnick and Pat Passlof Foundation, uma organização relativamente nova, apresentou, sob o título "True Fictions", trabalhos da pintora de naturezas-mortas e paisagista Jane Freilicher ao lado dos do abstracionista Thomas Nozkowski. A justaposição de obras nessas duas exposições certamente pareceu elegante, ao menos à maneira de uma revista sofisticada de decoração. Mas quando as pessoas envolvidas buscaram um princípio organizacional para explicar o que estavam fazendo, tudo o que puderam invocar foram banalidades como "a percepção visual sem dúvida permaneceu como o ponto de partida para ambos os artistas" (Morandi e Albers) ou "há uma semelhança mais significativa do que todas as suas diferenças significativas reunidas: vamos chamá-la de *integridade*" (Freilicher e Nozkowski). Essas não seriam observações que poderiam ser feitas sobre qualquer trabalho bem-sucedido em algum grau?

Morandi e Albers eram fanáticos. Faziam o que faziam em detrimento de todo o resto. Suas limitações são a chave de suas conquistas. Então, por que essa vontade de colocá-los lado a lado? Talvez porque encaramos as limitações artísticas, mesmo as limitações autoimpostas, como um sinal de fracasso – um recuo na direção da arte pela arte. Em uma época de emergência política, social, econômica e ambiental como a nossa, muitas pessoas acham retrógrado insistir em qualquer coisa que se assemelhe à pureza estilística. Como podemos arriscar defendê-la, quando uma mostra dedicada à experiência negra quase inevitavelmente terá que apresentar trabalhos em uma grande variedade de estilos, desde as abstrações pictóricas de Stanley Whitney, com suas fileiras de formas brilhantemente coloridas, até o realismo nitidamente focado do retrato de Barack Obama assinado por Kehinde Wiley? Uma exposição dedicada à experiência LGBTQIA+ certamente teria uma gama estilística semelhante. Hoje ouvimos muito sobre o renascimento do retrato, mas a discussão tende a se concentrar no seu objeto, sejam os Obamas ou um artista popular, em vez de abordar a forma como um artista realmente navega pelas tradições do retrato, uma arte que tem milhares de anos.

Os artistas sempre almejaram expandir seus horizontes, às vezes adotando modos de representação ou abstração que ultrapassam sua zona de conforto. Vemos o pensamento de Picasso avançando nesse sentido em alguns dos retratos neoclássicos que ele produziu na época da Primeira Guerra Mundial. Esse espírito de exploração ajuda a explicar por que o pintor contemporâneo Kerry

James Marshall, que alcançou enorme reputação com seus estudos panorâmicos da vida americana, recentemente sentiu a necessidade de pintar algumas abstrações, refletindo sobre isso em uma entrevista: "Como fazer essas coisas agora, e realmente torná-las tão interessantes quanto possível?". No caso de Marshall, esse pode ser um experimento breve – um experimento interessante.

Também posso entender por que Charles Ray, que no início de 2022 foi tema de uma exposição no Metropolitan Museum of Art, queria que os visitantes do museu contemplassem, quase simultaneamente, uma escultura de figura realista baseada em *Huckleberry Finn*, de Mark Twain, uma caixa minimalista que ele fez (ou mandou fazer) há cerca de 35 anos e uma escultura que reproduz um velho trator que encontrou abandonado no vale de San Fernando. Cada uma marca uma tradição diferente: a escultura de figuras representativas com *Huck e Jim*; o minimalismo com a caixa; uma espécie de *objet trouvé* duchampiano com *Tractor*. Alguns podem sentir que um perfeccionismo elegante e sedutoramente anônimo as une. O artista torna-se um empresário administrando a história da arte.

Todos nós aproveitamos o acesso instantâneo e ilimitado que o mundo conectado alega fornecer. Portanto, não é de surpreender que muitos artistas relutem em contemplar, e sobretudo em aceitar, quaisquer limitações, mesmo as autoimpostas. Pintores e escultores que permanecem em seus estúdios atracados aos fundamentos e pontos delicados da representação ou da abstração – preocupados com as teorias renascentistas da perspectiva ou com as ideias de Klee e Kandinsky sobre a geometria plana – podem ser acusados de alienação. Mas chega um momento em que certas perguntas devem ser feitas. Quais são as tradições artísticas mais significativas para você? Qual é a sua herança artística? Como você se posiciona?

Combativo debatedor da arte contemporânea, **Jed Perl** (1951) foi crítico da *New Republic*. É autor de *New Art City – Nova York capital da arte moderna* (Companhia das Letras), de *Calder: The Conquest of Time* e *Calder: The Conquest of Space*, biografia em dois volumes de Alexander Calder. Seu livro mais recente, *Authority and Freedom: A Defense of the Arts*, foi publicado em novembro de 2022. Dele, a ***serrote*** já publicou "C de *capriccio*" (#4) e "Estética *laissez-faire*" (#16). Este ensaio foi publicado originalmente na *New York Review of Books* em novembro de 2022.
Tradução de **Julia de Souza**

A artista visual **Julie Mehretu** (1970) nasceu na Etiópia e vive nos Estados Unidos. As quatro imagens aqui reproduzidas compõem a pintura *Mogamma*.

Autobiografia radical

Melina Moe

Foi Toni Morrison, então editora de livros, quem convenceu Angela Davis de que uma narrativa de memórias poderia ser política

Angela Davis e Toni Morrison em evento na New York Public Library, em 2010
Fotos: Jori Klein
Cortesia da NYPL

Em junho de 1972, Toni Morrison pegou um avião até a Califórnia para encontrar Angela Davis, a filósofa, ativista do Movimento Negro e integrante do Partido Comunista, que tinha saído da prisão algumas semanas antes. Davis fora indiciada por ter relação com o caso de Jonathan Jackson, que usou uma arma para tentar libertar o irmão mais velho, George Jackson, da prisão estadual de San Quentin. Mas todas as acusações contra ela foram retiradas. Morrison pretendia sugerir a Davis que escrevesse uma autobiografia para a Random House, onde ela já havia editado biografias e coletâneas de ensaios de pessoas negras, como Lucille Clifton, Stokely Carmichael e Muhammad Ali. Quando Morrison chegou, Davis já tinha partido em uma turnê de palestras. Embora a certa altura elas enfim tenham trabalhado juntas, a editora acabaria se acostumando à sensação de estar sempre correndo atrás da carismática radical.

Publicada em 1974 pela Random House, *Uma autobiografia*, de Angela Davis, é um dos mais impressionantes relatos políticos do fim do século 20. Foi necessário o otimismo de

Morrison para convencer a cética Davis, que estava ocupada viajando pelos Estados Unidos na linha de frente das lutas raciais em Detroit, Chicago e Nova York, onde algumas vezes ela discursou para a multidão de dentro de uma caixa de vidro blindada para se proteger. Como Morrison disse anos depois: "Angela é uma das mulheres mais ferozes que já conheci, e eu venho de uma longa linhagem de mulheres ferozes. E quando digo feroz é literalmente, não de forma acadêmica. Ela tem ódios monumentais e nenhuma noção de perigo. Às vezes acho que nem percebe isso. Também é incrível e absolutamente disciplinada."

Essas qualidades, no entanto, também faziam de Davis alguém que relutava em escrever as próprias memórias. Para ela, uma autobiografia tinha cheiro de "individualismo neoliberal", para o qual o único antídoto possível era "empenhar-se na crítica implacável à centralidade do indivíduo".[1] Poderia a autobiografia ser algo diferente do *Bildung*, da narrativa de desenvolvimento e educação que fora a base da cultura literária colonial durante séculos e que historicamente foi negada a autores afro-americanos? Os ensaios introdutórios que Davis escreveu nos 50 anos seguintes oferecem um pequeno catálogo de suas reflexões a respeito da permanência do texto, além de suas mudanças de perspectiva sobre algumas das próprias afirmações. O prefácio de 1988 reflete sobre a saída do Partido Comunista, enquanto o de 2021 critica o essencialismo de gênero e a linguagem capacitista do texto original. Mas todos os prefácios, ao longo de décadas, relatam o debate fundamental que ela teve com Morrison: a possibilidade de a autobiografia ser um gênero literário politicamente redimido.

1. Angela Davis, prefácio à terceira edição de *An Autobiography*. Chicago: Haymarket, 2022, p. IX.

Arquivos de editoras raramente documentam a gênese de um livro. Às vezes preservam projetos enviados por agentes ou, com menos frequência, pelos próprios autores. As histórias de origem, ao serem recontadas tempos depois, costumam ser como as lembranças de um primeiro encontro: as tensões são suavizadas; aquela faísca provocada por um primeiro manuscrito ou um encontro casual são então reconstruídos na forma de negociações de parceria, contratos revisados, memorandos entre escritórios e correspondências com assessores de imprensa e advogados, antes de culminar na inevitável oferta ou na rejeição.

Os papéis que documentam o trabalho editorial de Morrison na Random House estão na Biblioteca de Livros Raros e Manuscritos da Universidade Columbia. Nos arquivos, há registro não apenas do debate entre Morrison e Davis a respeito do significado da autobiografia e do processo de edição de frases específicas, mas também de Morrison defendendo Davis dentro da editora. De fato, os arquivos deixam claro que Morrison conseguiu publicar a história de Davis graças à sua própria força de vontade, confiante de que *Uma autobiografia* revelava "como era cair nas garras da 'justiça' americana".[2] No fim das contas, o livro se transformou numa plataforma para Davis: nos papéis de Morrison, há dezenas de programações de eventos – apresentações do livro, turnês de divulgação e palestras.

2. Toni Morrison, arquivos da Random House, Biblioteca de Livros Raros e Manuscritos da Columbia, caixa 1268.

Uma autobiografia foi um sucesso importante para a Random House, apesar de algumas dúvidas do alto escalão a respeito do tom combativo do livro,[3] para não falar de seu radicalismo político. Esses conflitos editoriais atingiram o ápice logo depois de Davis entregar o manuscrito completo. Foi quando a Bantam, editora parceira da Random House, fez leituras bastante críticas ao manuscrito editado por Morrison. Não há registro em Columbia de comentários precisos sobre o texto de Davis, mas é possível deduzir as sugestões dos pareceristas a partir da refutação contundente e detalhada de Morrison.

3. Jim Silberman, chefe de Morrison na Random House, a apoiava. Mas houve ceticismo e negociações mais extensas com a Bantam, parceira de publicação da Random House.

Aos pareceristas que reclamam da "ausência de uma pessoa real (isto é, humana e vulnerável)", Morrison escreve que, "como a maioria das pessoas, este aqui quer usar a vida de Angela em benefício próprio". É curioso, observa ela: a mesma pessoa que diz preferir que o manuscrito de Davis ofereça maneiras de "fortalecer a si mesmo" também quer uma história mais pessoal e menos política. Além do mais, a falha fundamental desses leitores que buscavam um livro de autoajuda, e não um diagnóstico político do racismo americano, foi não compreender o texto de Davis. Segundo Morrison, para os pareceristas da editora, a apresentação sofisticada de Davis e sua "boa educação" e seu "jeito agradável" eram a prova de que ela era diferente de como o manuscrito a apresentava: mais fácil de provocar identificação e menos séria, mais humana e menos política.

Mas, como os arquivos deixam bem claro, Morrison assegurou à editora que os pareceres estavam redondamente enganados. E avisou: se questionassem a integridade do texto de Davis como um todo, teriam que ir atrás de outra editora. "Como seria bom", ela acrescentou, sarcástica, num

comentário que atravessou décadas e permanece atual, "se Angela fosse na verdade Jane Fonda e não Joana d'Arc."

—

Depois de cinco anos na Random House, Morrison já tinha fama de ser uma defensora incansável dos autores que editava. Em 1977, quando a poeta June Jordan publicou *Things That I Do in the Dark: Selected Poetry*, os agradecimentos incluíam Morrison, "minha editora, que insistiu em acreditar neste livro até ele ser impresso".

Morrison começou a carreira de editora em 1965, quando viu na *New York Review of Books* o anúncio de uma vaga na empresa de livros didáticos L. W. Singer, em Syracuse. Na época, ela vivia em Lorain, Ohio, sua cidade natal, e tinha acabado de se separar de Harold Morrison, um arquiteto que conhecera quando dava aulas na Universidade Howard, onde se formou. Ela conseguiu o trabalho na Singer, mais tarde adquirida pela Random House. Depois de se mudar para Nova York, Morrison escreveu e publicou *O olho mais azul* (1970) e trabalhou em *Sula* ao longo do mesmo ano em que colaborou com Davis. Em 1980, alguns anos antes de deixar a Random House para se dedicar exclusivamente à escrita, ela recebeu uma carta de Toni Cade Bambara descrevendo o processo do que viria a ser o livro *The Salt Eaters*. Bambara disse: "Agora consigo compreender melhor um comentário que você fez/fazia com frequência sobre si mesma e a escrita e o tempo etc. O conto é um trabalho. O romance é um modo de vida. É devastador. Como é que você consegue fazer isso, mulher? Esplêndida. (Você, eu quero dizer.)"[4]

Uma marca registrada da trajetória editorial de Morrison eram suas "Provocações". Normalmente uma pilha de folhas de papel soltas, com comentários escritos à mão relacionados aos números das páginas dos manuscritos, elas dão indícios fascinantes de trechos que foram cortados da versão final do livro. Morrison sugere ampliar as breves menções feitas a Frederick Douglass e Harriet Tubman, e que Davis "fale sobre eles com um tom mais íntimo, por exemplo, 'Harriet Tubman, cujos olhos grandes e tristes eram como um bálsamo para as centenas de...'". Nem as descrições breves do original, nem as ampliações sugeridas por Morrison acabaram entrando na versão final.

4. Toni Cade Bambara para Toni Morrison, arquivos da Random House, 2 de julho (provavelmente 1979).

As provocações sempre tinham um tom desafiador – numa delas, Morrison pergunta por que Davis escreve que "sente vergonha" de ter medo, logo no começo do livro, e então elabora: "não é humano não ter medo + infantil considerar o medo um defeito. Submeter-se a isso é que é." O texto final de Davis ficou assim:

> Ali fora, ao ar livre, envolto em meu luto e em minha raiva, também estava o medo. Um medo franco e simples, tão esmagador e tão elementar que só podia ser comparado à opressão que eu costumava sentir na infância quando ficava sozinha no escuro. Aquela coisa indescritível, monstruosa, ficava atrás de mim, sem nunca me tocar completamente, mas sempre lá, pronta para me atacar. Quando minha mãe e meu pai me perguntavam o que era essa coisa que me deixava com tanto medo, as palavras que eu usava para descrevê-la soavam ridículas e bobas. Agora, a cada passo, eu sentia uma presença que conseguia descrever com facilidade. Imagens de ataques lampejavam em minha mente, mas não eram abstratas – eram cenas nítidas de metralhadoras surgindo na escuridão, cercando Helen e eu, abrindo fogo…[5]

5. Angela Davis, *Uma autobiografia*. Trad. Heci Regina Candiani. São Paulo: Boitempo, 2019, p. 32

As sugestões editoriais de Morrison apareciam de diversas maneiras: longos comentários frequentemente incorporados em correspondências, páginas e mais páginas de "provocações" (que, em geral, eram pedidos de acréscimos) e manuscritos editados nos quais Morrison focava sobretudo nos cortes do texto. Entre os comentários gerais para Davis, havia uma lista de "adjetivos usados em demasia", como "estranho/estranhamente, combate, completamente, tremendo, incrível, experiência, horror/horripilante, total". Na mesma página, toda preenchida com a letra cursiva e alongada de Morrison, ela dá algumas dicas gerais de estilo e diz que Davis com frequência se coloca como paciente da ação ("Eu me encontrei" ou "Eu levei um choque").[6] As listas possivelmente eram ferramentas para que Morrison e Davis pudessem delinear a dimensão e o escopo da história enquanto trabalhavam juntas, sem cair em repetições linguísticas.

6. Toni Morrison, arquivos da Random House, Biblioteca de Livros Raros e Manuscritos da Columbia, caixa 1268.

Ao trabalhar com Gayl Jones em seu triunfante romance *Corregidora*, Morrison disse admirar o quanto o livro apontava para "uma ideia geral", a história da escravidão, e então "a trazia para um enredo menor e mais doméstico, dando-lhe uma universalidade e uma particularidade que a tornavam extraordinária".[7] Morrison se concentrou em obter um estilo consistente, mesmo em meio à complexidade da prosa de Jones, cheia de vozes narrativas diferentes e enriquecida com músicas e trechos de conversas entreouvidas. Ela pediu a Jones: "Antes de tudo, é preciso definir a amplitude do registro de linguagem de Ursa. Ela vai desde 'eu tô de olho' e 'tô dando o fora' até 'temos rancor demais um pelo outro' e 'o que foi que eu engendrei?'."

7. Toni Morrison, arquivos da Random House, Biblioteca de Livros Raros e Manuscritos da Columbia, caixa 1520.

Tanto Morrison quanto Jones, que na época fazia um ph.D., queriam limpar toda a linguagem claramente literária – ou, pior ainda, a linguagem da crítica literária – e abrir espaço para as vozes dos personagens. Depois de muitas rodadas de edição, Morrison já não confiava mais em si mesma para pescar os tiques de uma educação refinada. Então, anexou um comentário para o preparador de texto na versão final do manuscrito e pediu que ele procurasse pelos "lapsos de linguagem 'literária'".

Mas a linguagem não era a preocupação principal em *Uma autobiografia* – Davis lembra que suas primeiras versões eram "primordialmente um texto sobre questões filosóficas". Trabalhar com Morrison a ajudou a "aprender como escrever algo que produzisse imagens na cabeça das pessoas e as atraísse para a história". Davis chama isso de "estratégia cinematográfica", embora as sugestões editoriais de Morrison pedissem mais detalhes e menos distância.[8] Várias versões dos manuscritos de *Uma autobiografia* estão cheias de marcas de Morrison em lápis verde na tentativa de encurtar análises filosóficas e conclusões em retrospecto.

8. Dan White, "Toni Morrison and Angela Davis on Friendship and Creativity". Disponível em: news.ucsc.edu/2014/10/morrison-davis-q-a.html.

Morrison suprime por completo, por exemplo, uma análise dos livros de história da escola de ensino fundamental de Birmingham (ela risca a frase "decidi que era difícil acreditar em qualquer coisa escrita naqueles livros, que claramente haviam sido produzidos de acordo com os ditames do racismo"), mas mantém a incredulidade de Davis, aos 12 anos, ao ouvir uma professora interpretar uma música religiosa como um elogio à escravidão.[9] Os cortes atenuam um pouco da defesa analítica que Davis faz do comunismo, mas mantêm o choque juvenil e o reconhecimento de quando ela descobre Marx, ainda como estudante do ensino médio. As edições de Morrison se concentram em momentos essenciais da formação política de Davis: sua mudança de Birmingham para Nova York, onde cursou o ensino médio na escola experimental Little Red School House; seu primeiro e transformador encontro com o *Manifesto comunista*; sua chegada à Califórnia depois de estudar na

9. Angela Davis, com edição de Toni Morrison, arquivos da Random House, Biblioteca de Livros Raros e Manuscritos da Columbia, caixa 1268.

Alemanha; os passeios pelas ruas de San Diego, a bordo de um Buick 1958, tentando compreender como se encaixar no movimento da Costa Oeste.

O texto final dá uma sensação de avanço e propulsão que parece sob medida para a incansável Davis: "Eu era como uma exploradora que, depois de muitos anos, retorna à terra natal com uma recompensa preciosa, mas ninguém a quem entregá-la. Eu acreditava que minha energia, meu comprometimento, minhas convicções eram o tesouro que eu tinha acumulado e procurava em toda parte uma maneira de aplicá-lo. Perambulei pelo campus, examinei os quadros de avisos, li os jornais, conversei com todas as pessoas que pudessem saber: onde está meu povo?"[10]

10. Angela Davis, *Uma autobiografia*, *op. cit.*, p. 193.

A tensão entre o realismo vernáculo e o estilo "literário" era o que conduzia a colaboração entre a autora negra e a editora negra, um processo difícil de sustentar devido ao ambiente do mercado editorial e suas características comerciais nos anos 1970. O esquema proposto para o livro de Davis previa uma ordem cronológica para a narrativa, começando na infância em Birmingham e mapeando sua educação e seu ativismo em vários cenários: Nova York, Brandeis, viagens internacionais da juventude, pós-graduação e o Partido Comunista na Califórnia. Essa estrutura logo se revelou um desafio. Mais tarde, Morrison lembrou a seu chefe, Jim Silberman, que, "quando a primeira versão do manuscrito chegou, eu disse que seria difícil trabalhar com uma autora que não tem vaidade e está completamente desinteressada em si mesma"; e depois acrescentou, irônica, "acho que precisamos desenvolver um pouco dessa vaidade".

A versão final de *Uma autobiografia* se parece mais com um romance e também se distancia um pouco da cronologia de formação pessoal que fora proposta. Começa com Davis vivendo na clandestinidade e "mantendo-se inacessível para o FBI", e descreve o voo vindo da Califórnia e a vida como fugitiva antes da prisão. Os capítulos iniciais – seção de *Uma autobiografia* que ela chama de "Redes" – destacam a perseguição judicial, a prisão e os esforços de Davis para se conectar com outras prisioneiras. Ela consegue contrabandear exemplares do livro de cartas de George Jackson, *Soledad Brother*, para a biblioteca da penitenciária; esforça-se para formar uma equipe jurídica; sai para participar de protestos na Sexta Avenida; e luta contra o confinamento na solitária (instituído para evitar

que outras detentas se contaminassem com o comunismo). Apenas lá pela metade do livro, a narrativa volta para a infância em Birmingham.

Reorganizar a história dessa maneira atendeu às exigências de Davis em escrever uma autobiografia política, ênfase que gerou insatisfação na equipe editorial. *Uma autobiografia* foi publicada em conjunto pela Random House e a Bantam Books. Mais conhecida por reedições de clássicos, brochuras e ficção de gênero, a Bantam também começava a se aventurar em títulos políticos, e tinha publicado *Protest: Man Against Society*, uma antologia de literatura de protesto, e *Soledad Brother*, de George Jackson, uma referência da crítica radical para a qual Greg Armstrong promoveu uma festa de lançamento com champanhe nos portões na prisão de San Quentin. O contrato em parceria estabelecia que custos e lucros seriam divididos meio a meio, mas a Random House ficaria responsável pelo trabalho editorial, o que às vezes colocava Morrison numa posição delicada entre a autora, que decididamente queria uma autobiografia política, e uma equipe editorial que preferia um livro de memórias mais pessoal e "humano". (Se Davis tivesse publicado um segundo livro, a Bantam teria tomado a dianteira do trabalho editorial.)

Foi o processo de revisão da Bantam que gerou as críticas tão duras aos manuscritos iniciais que, embora ausentes dos arquivos, podem ser deduzidas pelas defesas contundentes de Morrison. Elas mostram seu talento editorial não apenas como leitora, mas também como advogada de defesa. Em seus comentários para a Bantam, Morrison descreve Davis como uma combatente política inabalável, alguém com um nível de coragem que ela tanto admira quanto considera preocupante.

Quando diz a Silberman que "gostaria de contar a você como ela arriscou não apenas a própria vida, mas a minha também", Morrison parece surpresa com a disposição de Davis para se colocar na linha de frente e presumir que os outros queiram fazer o mesmo sem consultá-los. Morrison relata então como foi transportada para as trincheiras da luta contra o racismo apenas por estar ao lado de Davis:

> Eu entrei numa briga com ela num aeroporto há algumas semanas – uma briga política com um homem branco que falou de maneira mal-educada com uma mulher negra que Angela nem conhecia. Ela caminhou alguns metros para entrar nessa briga, num piscar de olhos. A discussão terminou não porque a polícia foi chamada, mas porque o homem branco fugiu. Ela arrisca a vida com facilidade – atleticamente falando, move-se sempre na direção de incidentes que podem acabar em morte.

Morrison não consegue e nem quer explicar Davis – isso é parte do que a exaspera com o parecer da Bantam –, mas compreende que o fato de a autora estar sempre pronta para o risco de sofrer lesões corporais e estigma social é bem incomum. Para Morrison, Davis é "uma pessoa quase totalmente política", que não "deixa suas crenças políticas de lado. Nunca. Nem mesmo em seus próprios sonhos. Nem no banho. Nem no vaso sanitário. Em lugar nenhum."

A decisão para o leitor, Morrison admite, é difícil. Esse tipo de personagem inflexível ou é heroico como nenhum outro ou é simplesmente inverossímil. Esse era o livro que Morrison tinha em mente desde o começo.

—

Numa carta cuidadosamente datilografada de junho de 1972, Morrison sugere a Davis o tipo de livro que ela planejou para a ativista escrever. Morrison visualiza "um não livro no sentido mais verdadeiro – isto é –, nunca ficaria confinado entre suas capas". "O livro, assim como a autora", ela escreveu para Davis, "seria tanto a teoria quanto a coisa, a ideia *e* sua manifestação. Seria tão poderoso – de dar um nó na cabeça."

Morrison tinha prometido a Davis e, na hora da publicação, recorreu a seus contatos sociais e profissionais para transformar o lançamento do livro num evento literário e cultural. Os arquivos editoriais de Morrison preservaram uma carta que ela escreveu para enviar a dezenas de organizações profissionais negras (uma das cópias que sobrou é endereçada à presidência de uma associação médica), pedindo que promovessem o livro, organizassem clubes de leitura ou comprassem exemplares.

A parceria com a Bantam facilitou a distribuição em outros países, e Davis embarcou em turnês lotadas por França, Reino Unido e Escandinávia. Era importante para ela que leitores russos tivessem acesso ao livro, então a Bantam providenciou uma tradução (para conferência, a Random House traduziu parte do livro de volta para o inglês e aprovou com Davis e Morrison). A lista de convidados para a festa de lançamento preenchia quase uma dúzia de folhas pautadas de caderno. Morrison alugou a Automation House, uma galeria de arte a leste do Central Park, e, às vésperas do evento, deixou bilhetes escritos para si mesma com lembretes para telefonar para Chinua Achebe e confirmar a presença de June Jordan.

Em 2010, Morrison e Davis se reencontraram na Biblioteca Pública de Nova York, onde foram convidadas a falar sobre a importância das bibliotecas para a sociedade norte-americana. Juntas, trocaram histórias sobre livros banidos. Davis contou ter contrabandeado *Soledad Brother* para a casa de detenção; Morrison relembrou quando descobriu que *Paraíso* tinha sido retirado das bibliotecas das prisões no Texas. As duas falavam frequentemente sobre a alegria de trabalhar juntas em *Uma autobiografia*, mas quase nunca sobre os aspectos mais difíceis do processo: os pareceres da Bantam, as demandas extenuantes de divulgação para Davis durante as turnês nacionais e internacionais e o trabalho pesado de edição.

Ao assistir à gravação desse evento de 2010 no YouTube, me lembrei de algo que Arjun Appadurai escreveu: "O arquivo [é] uma ferramenta para o trabalho de memória coletiva". No auge de suas potencialidades criativas, Davis e Morrison se juntaram durante um período de censura e apagamento cultural, deixando um arquivo espantoso de criação de memória e das práticas de colaboração literária. Elas reimaginaram um tratado revolucionário pelo filtro da prodigiosa consciência de romancista de Morrison. E botaram em prática uma modalidade de trabalho cultural em que arte e política aperfeiçoam e aguçam uma à outra – em vez de apenas aproximarem vagamente suas respectivas complexidades. Como Morrison previu na carta de 1972 em que sugere o livro para Davis, "trabalharmos juntas seria fantástico, tenho certeza, e o resultado seria glorioso".

Melina Moe é curadora de literatura na Biblioteca de Manuscritos e Livros Raros da Universidade Columbia, o maior acervo dedicado à história do mercado editorial americano, que guarda os arquivos das editoras Random House, Harper Brothers e W.W. Norton. Doutora por Yale, foi professora no Smith College e em Harvard. Em suas pesquisas, aborda a interseção entre cultura literária e história do mercado editorial.
Tradução de **Thaís Britto**

Papéis de um dia, 2022

LEILA DANZIGER

Estas imagens começaram a se formar numa noite de derrota para o Rio de Janeiro. Estávamos na Cinelândia. Era um domingo de outubro de 2016. Em meio à multidão que esperava o resultado das eleições municipais, algumas pessoas escalaram o monumento ao marechal Floriano Peixoto, como sempre acontece nessas ocasiões, e uma menina se aninhou em um de seus nichos, sobre os ombros de José de Anchieta. De lá, parecia acenar a todos. Instintivamente, fiz uma foto: trêmula, sem definição, quase às cegas. A ela somaram-se, aos poucos, outras imagens relacionadas à Cinelândia e seus arredores, algumas feitas por mim, outras encontradas no Arquivo Nacional: operários removendo os leões do Palácio Monroe (demolido na década de 1970); o Cine Odeon (em tempos áureos); estátuas equestres, instaladas em diferentes praças da cidade (felizmente na Cinelândia não há heróis a cavalo); a própria alegoria da pátria, figura feminina que se projeta do alto do monumento a Floriano, e que, para mim, se transformou numa possível alegoria da multidão. Contudo, o que reúne e agrega todos esses "personagens" é a imagem do próprio texto. ◖ Durante vários anos, apaguei seletivamente, por um método extrativo, páginas de jornais, deixando uma foto, uma frase, um resto de cor, tudo o que me parecia querer escapar ao tempo efêmero dos cotidianos. Já na série *Papéis de um dia* quis refazer os jornais, mas como se todas as notícias se sobrepusessem, repetitivas, saturadas e excessivas, também apagadas, mas por outros meios, por uma técnica de impressão lenta e rudimentar, que são os carimbos, produzidos a partir da coleção de imagens mencionadas acima. O que surge são grades de textos, uma espécie de sombra da página impressa, a imagem da escrita pública que é o jornal, esse "museu de minúcias efêmeras", como o definiu tão lindamente Jorge Luis Borges.

Desde aquele domingo de outubro

ODEON
A DIFÍCIL
VIDA FÁCIL

Ainsi, au terme d'une traversée
dans un dédale de voiles palimpsestes,
et les Regards humains : jouant de leur
transparence leur opacité mystérieuse,
de leur persistance et de leur fragilité
de fantômes, je m'arrête net.

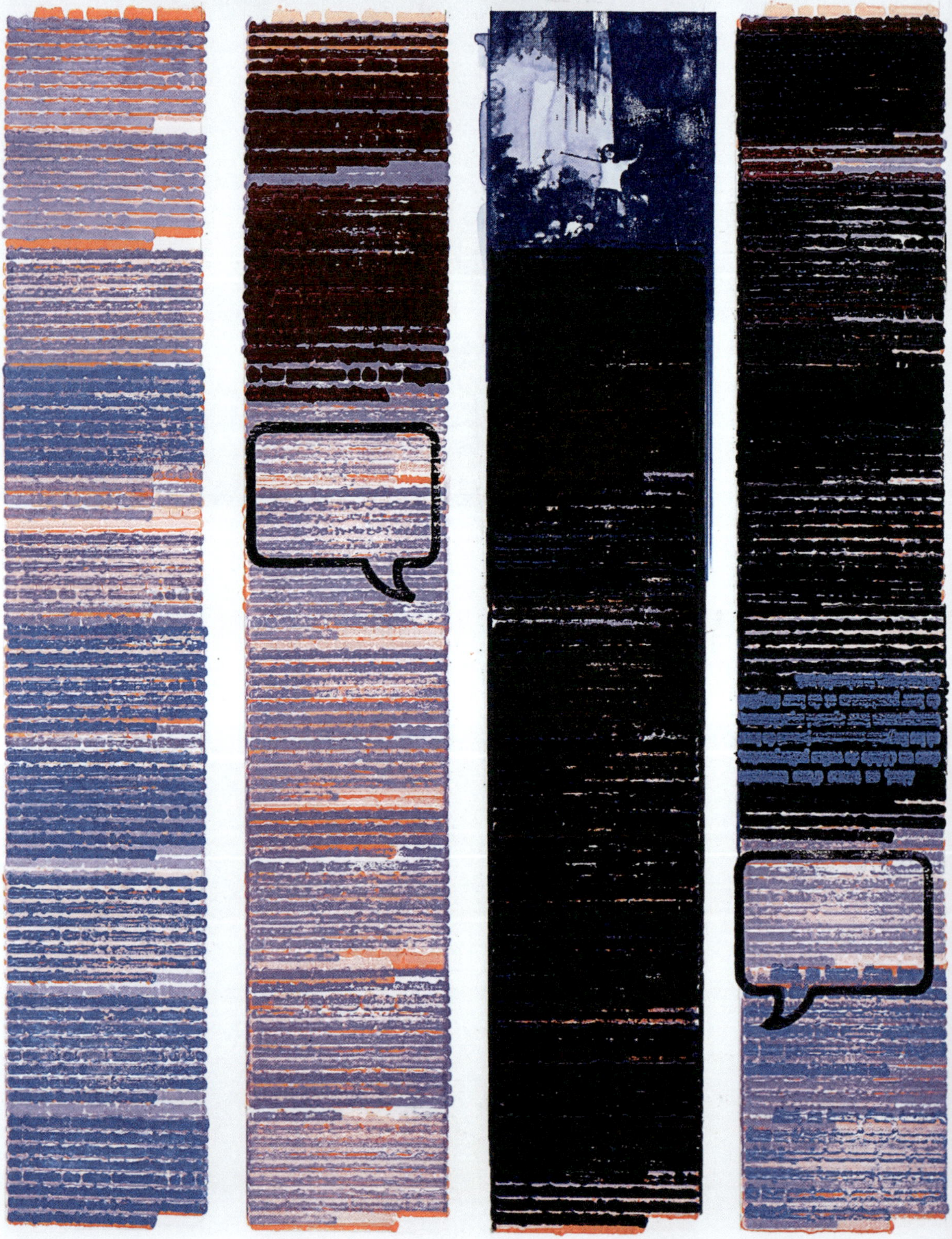

volver, volver, volver volver, volver, volver

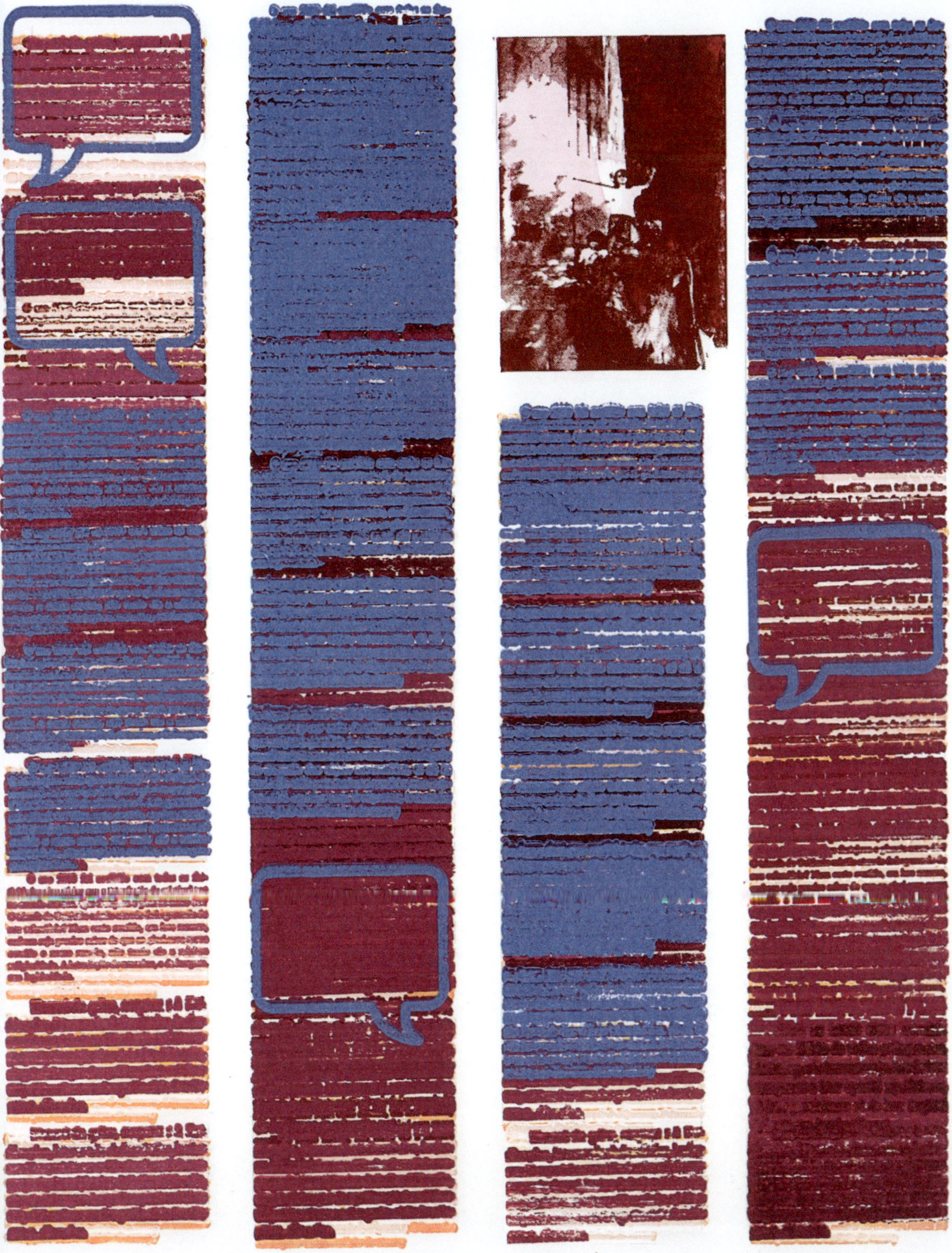

descriar o mundo amarrado

A DIFÍCIL
VIDA FÁCIL

A DIFÍCIL
VIDA FÁCIL

Para-alguém-que-nasce-hoje.

Leila Danziger (1962) é artista, professora do Instituto de Artes da Uerj, pesquisadora e poeta. É autora dos livros de artista *Cadernos do povo brasileiro* (Relicário, 2022), *Navio de emigrantes* (Caixa Cultural Brasília, 2018) e *Um golem para Caruaru* (2014), entre outros. Sua poesia está reunida em volumes como *Cinelândia* (7Letras, 2021) e *Ano novo* (7Letras, 2016). Este ensaio visual, realizado em carimbo (tinta gráfica) sobre papel, apresenta um desdobramento de sua produção, que articula história, memória e esquecimento. Em 2022, realizou a mostra individual *Descer da nuvem*, no Museu Judaico de São Paulo.

Sobre dor e luto

Joseph Epstein

A perda de quem se ama envolve muito mais do que a filosofia ou a psicologia podem interpretar

Feliz aquele que chega aos 50 anos sem experimentar a dor de perder quem ama. Contar-se entre os que choram, entre os enlutados, é uma experiência pela qual quase todos nós passamos, com exceção daqueles que morrem cedo demais e se tornam, eles mesmos, a causa da dor. A morte de pai ou mãe, esposa ou marido, irmã ou irmão, de um amigo querido ou, a mais triste de todas, de um filho estão entre as maiores dores da vida. É possível evitar a dor? Convém evitá-la? Faz sentido falar, como no bordão favorito de Charlie Brown, em uma *good grief*?[1]

Sócrates argumentava que uma das missões fundamentais da filosofia era afastar de nós o medo da morte. Em seu momento derradeiro, autoimposto pela cicuta, o filósofo se dizia ansioso para enfim descobrir se havia ou não uma vida depois da morte. Montaigne, por sua vez, escreveu um ensaio intitulado "Filosofar é aprender a morrer", e ali argumenta, como em outros momentos de sua obra, que, em vez de expulsar a morte de nossos pensamentos, tínhamos de tê-la sempre em mente:

1. Trata-se de trocadilho envolvendo "*grief*" – dor, tristeza profunda, em geral associada à morte de um ente querido – e a expressão "*Good grief!*", misto de frustração e surpresa, intraduzível ao pé da letra, mas próxima de "Ó céus!" ou "Misericórdia!". Na tradução consagrada dos quadrinhos *Peanuts*, de Charles M. Schulz, Charlie Brown exclama: "Que puxa!". [N. do T.]

André Penteado
Os cabides de meu pai, 2007

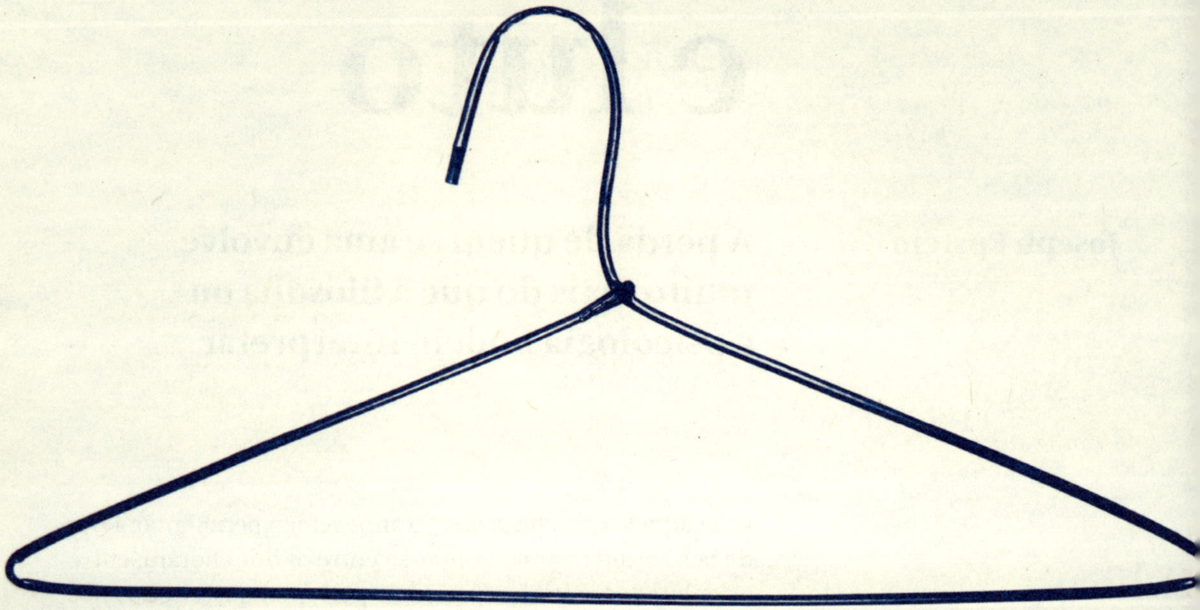

o conhecimento de nossa morte inevitável nos incitaria a viver a vida de modo mais satisfatório.

Mas ninguém nos ensinou a lidar com a morte daqueles que amamos ou que consideramos importantes em nossa vida. Pelo menos não de modo muito convincente. A tentativa mais famosa é a de Elisabeth Kübler-Ross, psiquiatra suíça, no livro *Sobre a morte e o morrer*, de 1969, e, em uma obra mais recente, *On Grief and Grieving*, de 2005, escrita com David Kessler.[2] Kübler-Ross estabeleceu um modelo de cinco estágios para o luto: negação, raiva, barganha, depressão e aceitação. No entanto, em minha experiência, não passei por nenhum desses estágios, o que me leva a crer que há mais no luto do que supõe, até o momento, a psicologia.

2. *Sobre a morte e o morrer: o que os doentes terminais têm para ensinar a médicos, enfermeiras, religiosos e aos seus próprios parentes* foi publicado em 2017 pela Martins Fontes. *On Grief and Grieving: Finding the Meaning of Grief through the Five Stages of Loss* não foi traduzido no Brasil. [N. do T.]

Ou, pode-se acrescentar, do que pode supor qualquer filosofia. Em *Grief*, Michael Cholbi, titular de filosofia da Universidade de Edimburgo, nos informa que sua disciplina nunca atacou o tema da perda com muita seriedade.[3] Cholbi defende o que pode haver de bom na experiência: "O bem que há na dor da perda, proponho, é o *autoconhecimento*". Ele define essa dor como "um processo de atenção, impulsionado pelas emoções, cujo objeto é a relação que foi transformada pela morte de alguém em quem nossa identidade prática estava investida". Termo cunhado pela filósofa americana Christine Korsgaard, essa "identidade prática" é, segundo a autora, "uma descrição pela qual nos valorizamos, uma descrição que nos leva a crer que nossa vida vale a pena e que nossas ações são dignas". O valor da perda, então, de acordo com Cholbi, é "destacar a vulnerabilidade e as contingências últimas de nossa identidade prática", culminando, em termos ideais, "em uma melhor compreensão do que estamos fazendo de nossa vida".

3. *Grief: A Philosophical Guide*. Princeton: Princeton University Press, 2022.

Em nossa era secular, geralmente se pensa que os mortos vão para debaixo da terra, se desvanecem nas chamas da cremação ou vão viver dentro de nossa cabeça. E quanto ao luto por aqueles que creem na vida depois da morte, que em geral implica em partir de onde estamos para um lugar melhor? Devemos chorar sua morte ou celebrá-la? Para Cholbi, "o fato de que aqueles que acreditam em uma vida depois da morte chorarem seus mortos genuinamente é difícil de conciliar com a noção de que essas mesmas pessoas lamentam seus mortos pelo que eles perderam ao morrer". Eu tinha uma vizinha chamada Dee Crosby, católica praticante que frequentava a missa todos os dias, solteira, professora aposentada, uns dez anos

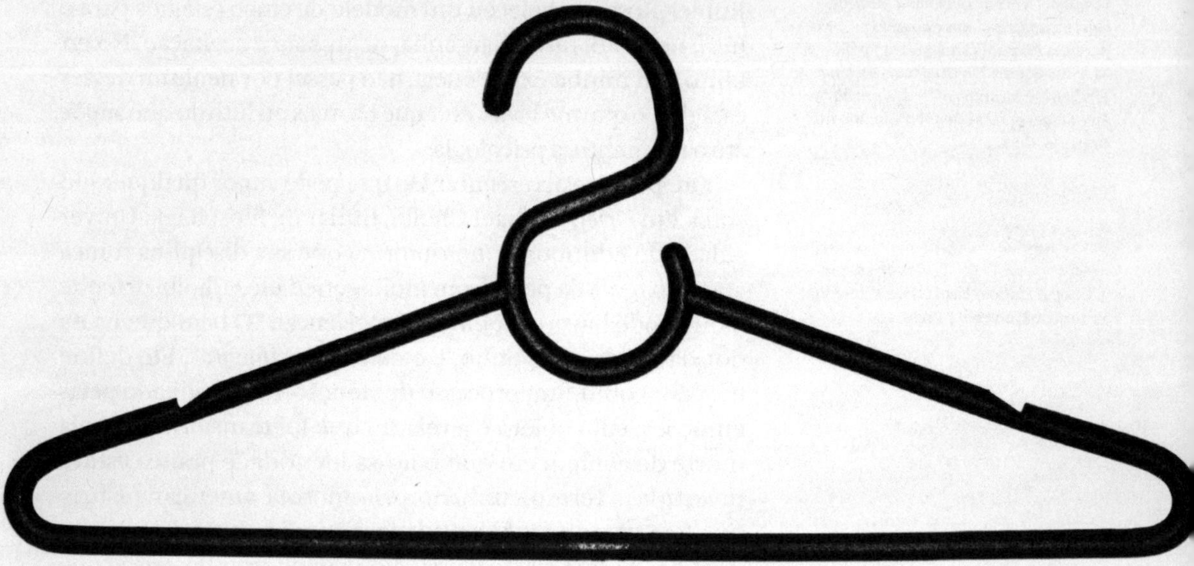

mais velha do que eu. Lembro-me de quando ela me disse que não tinha medo da morte. Ela, claro, queria evitar um passamento doloroso ou descuidado, mas tinha certeza de que iria para um bom lugar depois da morte. Quando me disse isso, senti uma pontada que só posso chamar de inveja mística.

Cholbi faz uma distinção útil entre a dor da perda e o luto, aquela sendo íntima, e este, público. Mulheres vitorianas tinham rituais estabelecidos para o luto: por um ano inteiro, retiravam-se da vida social; nos dois anos seguintes, só apareciam em público vestidas de preto. O luto pode ser espontâneo, como se manifestou depois da morte de Abraham Lincoln, ou encenado com esmero, como o foi depois do assassinato de John F. Kennedy; também pode ser elaborado, mas ainda assim superficial, como acontece depois da morte da maioria dos políticos.

Hoje em dia, notamos esforços quase coordenados para fazer com que a dor da perda se torne pública. Os tribunais agora aceitam depoimentos dos familiares de vítimas de assassinato. Vemos algo parecido nos canais de TV locais, em que mães, pais, irmãos e irmãs, tias e amigos das vítimas exibem, muitas vezes aos prantos, as perdas que sofreram, em geral pelas mãos de membros de gangues ou outros assassinos. Agora temos também uma série de clichês para acompanhar a perda; fala-se do "processo de cura", da "necessidade de voltar a se sentir inteiro", de se chegar "a um fecho", "o fim da jornada". Quando um estudante do ensino fundamental ou médio morre de maneira inesperada, os diretores escolares convocam psicólogos especializados. Existem até oficinas voltadas para a dor da perda.

Seis décadas atrás, com *The American Way of Death*, de Jessica Mitford, descobrimos como a dor era explorada pelas funerárias em todo o país. *O ente querido*, romance de Evelyn Waugh, apresenta um relato cruelmente cômico da sentimentalização da dor. Serviços associados ao tema se tornaram parte substancial da indústria psicoterapêutica.

Como a própria morte, a dor é diversa demais; assume tantas formas que é impossível de ser capturada satisfatoriamente pela filosofia ou pela psicologia. Há determinada forma de chorar uma morte lenta, uma morte, digamos, por câncer, Alzheimer ou Parkinson; ou uma morte súbita por ataque do coração, derrame, engasgo ou acidente de carro; uma morte pelas mãos de um criminoso (que, hoje em dia, é em grande parte uma morte aleatória); a morte por suicídio; a morte na velhice, na meia-idade, na infância; a morte na guerra; e, sim, a morte por um uso trágico de medicamentos. A dor da perda pode se manifestar pela raiva, ou mesmo pelo ódio, pela tristeza profunda, pela desorientação ou pelo alívio; pode ser longa, curta, pode ser quase efetivamente evitada, mas nunca de todo. A natureza da dor é tão diversa quanto suas causas.

Como o diabo, a dor está nos detalhes. Tenho um grande amigo cujo filho cometeu suicídio aos 41 anos. Jovem devotado a trabalhos nobres, terminou a vida atuando por uma agência internacional na África Central. Quando se

matou, a única nota que deixou explicava que "este evento", como descreveu o próprio suicídio, nada tinha a ver com seu trabalho. Até hoje seu pai e demais parentes não sabem a razão do gesto, o que acrescenta perplexidade à dor de meu amigo, uma perplexidade que talvez nunca venha a se resolver.

E há, então, a complexa questão do propósito da dor, com todas as diversas emoções que lhe vêm a reboque. Cholbi cita um filósofo chamado Robert Solomon, que fala de nossa obrigação moral para com a dor. "A quantidade certa de dor", argumenta Solomon, "revela a pessoa e seu cuidado com os outros." Mas qual é a quantidade certa? Judeus religiosos rezam o *kadish* diariamente durante 11 meses para seus mortos; se ortodoxos, são três preces por dia. Meu pai, que não rezou o *kadish* para seu pai ortodoxo, costumava se referir a mim, com uma piscadela, como sendo seu *kadish*. Lamentavelmente, eu também não rezei o *kadish* para ele nem para minha mãe, embora eu os amasse e sentisse, como continuo sentindo, que tirei a sorte grande na loteria parental.

Minha mãe morreu aos 81 anos, depois de uma luta de quase dois anos com um câncer no fígado. Ela nunca aceitou a própria morte. "Quem imaginou que isso aconteceria comigo?", dizia. Alguém me sugeriu que eu lhe indicasse um grupo de apoio para doentes terminais. Lembro-me prontamente da resposta: "Vamos ver se entendi: você quer que eu me sente numa sala com estranhos, ouça seus problemas, conte os meus, e isso vai fazer com que eu me sinta melhor? É isso que você quer? Então eu tive um filho idiota?"

Meu pai viveu até os 92 anos e morreu em casa, de insuficiência cardíaca congestiva. Em seus últimos anos, precisou de um cuidador. Primeiro contratamos um homem negro com um nome curiosamente judeu, Isaac Gordon; depois uma mulher, uma médica albanesa sem licença para atuar nos Estados Unidos. Para Henry James, "você é rico se pode satisfazer as demandas de sua imaginação". Por esse critério, meu pai era rico. Doava grandes somas para instituições de caridade (na maior parte) judaicas, ajudava parentes pobres, viajava para países exóticos e presenteava sua mulher com joias e casacos de pele e outros mimos que sua geração amava. Nos últimos anos, o que mais indignava meu pai em relação à doença era a perda da independência. Ele detestava depender dos outros; preferia que os outros dependessem dele.

Órfão na generosa idade de 62 anos, não posso dizer que chorei profundamente a morte de meus pais. Mas senti, como ainda sinto, muita falta deles. E senti – um dos estágios ignorados por Kübler-Ross – remorso. Eu queria ter feito uma série de perguntas a minha mãe – se ela acreditava em Deus, por exemplo. Nunca agradeci a meu pai pelo apoio generoso e por me brindar com um modelo admirável de masculinidade. Nunca o agradeci por isso e por tanto mais.

Não posso dizer que choro a perda de dois queridos amigos, Hilton Kramer e John Gross, mas sinto muita falta deles. Sinto falta de seu humor, do brilhantismo, e da gentileza e generosidade injustas que os dois dedicavam a mim.

Hilton me conseguiu o emprego de editor da *American Scholar*, onde trabalhei por 23 anos, e me encorajou a escrever para sua própria revista, a *New Criterion*. John eu conheci durante seus dias de editor do *Times Literary Supplement*, de Londres, para o qual ele sempre me pediu contribuições. Depois de mais ou menos um ano de correspondência formal, John escreveu o seguinte no início de uma carta para mim: "Eu gostaria muito, como disse Henry James em uma ocasião parecida, de abstrair os limites da formalidade e me dirigir a você por seu nome próprio". Por vezes, ele me ligava de Londres, em geral com alguma fofoca impressionante: "Joe, aposto que você não sabe com quem Fidel Castro anda tendo um caso". (Era com Kathleen Tynan, esposa de Kenneth Tynan.) Tanto com Hilton quanto com John, lembro-me de muitas risadas e de uma afinidade quase perfeita.

Mais recentemente, Midge Decter, amiga querida, morreu aos 94 anos. Não podemos ficar chocados ou mesmo surpresos com a morte de alguém que chegou aos 90, mas podemos, sim, sentir a subtração criada por sua ausência. Eu adorava provocar sua risada inteligente, e jamais tentaria ludibriar sua sagacidade intimidadora. Uma das tristezas de envelhecer é que vamos ficando sem gente para admirar, como eu admirava Midge, por seu bom senso, humor refinado e coragem intelectual.

—

Em um livro chamado *Geometry of Grief*, Michael Frame escreve: "O tempo se dobra. E muitos fantasmas se amontoam em minha cabeça. Pais, avós, tios e tias, amigos queridos, alunos... E um número excessivo de gatos." Se vivemos bastante tempo, acabamos nos deparando com o fato de que metade ou mais de nossos amigos e parentes foram embora do planeta antes de nós, "convocados", como dizia o poeta Robert Southey, "para a grande excursão do universo". Temos de viver sabendo disso, entristecidos, mas gratos por ainda estarmos no jogo. Porém, alguns vazios nunca são efetivamente preenchidos.

Em meu caso, esse vazio é a morte, aos 28 anos, do mais jovem de meus dois filhos, tornando-me membro oficial do menos invejável dos clubes – o clube dos pais que enterraram seus filhos.

Quando estranhos ou conhecidos distantes me perguntam se tenho filhos, digo que tive dois filhos, mas que um deles morreu jovem. Quando me perguntam, com uma inevitável expressão triste no rosto, como ele morreu, eu minto e digo que foi num acidente de carro. Na verdade, meu filho Burton morreu de uma overdose de opioides, em seu apartamento em Hyde Park, Chicago. Eu minto sobre a causa da morte porque não quero parecer mais digno de pena do que sou; e minto porque admitir que nosso filho andava metido com drogas sugere que não fomos aqueles pais fortes de que todas as crianças necessitam.

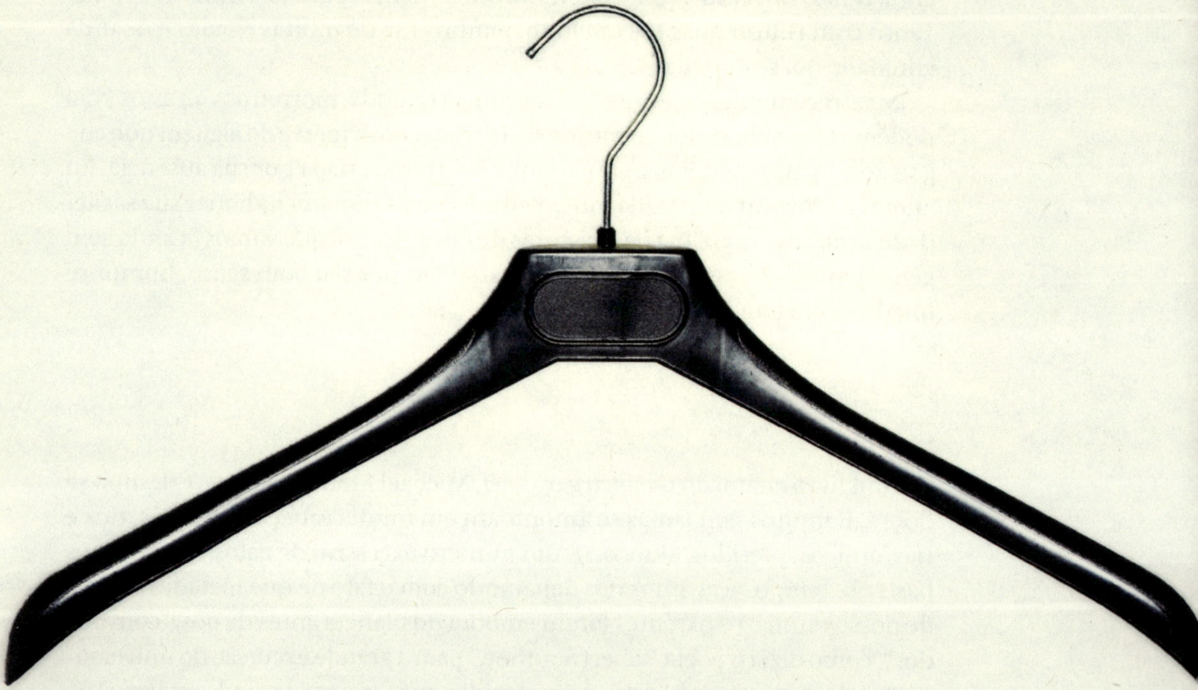

Quando menino, Burt era indômito. Não ligava muito para a escola, metia-se em brigas, mas podia ser imensamente charmoso. Cedo na vida, depois de um acidente com uma tesoura sem ponta, perdeu um olho. Desde então, passou a usar um olho de vidro, condição que, pelo menos aparentemente, em nada contribuiu para acalmá-lo – talvez ele tenha se tornado ainda mais agitado. Entediado na escola, decidiu não fazer faculdade, mas, depois de mais ou menos um ano trabalhando em Las Vegas, mudou de ideia e me telefonou perguntando se eu poderia matriculá-lo numa universidade. Consegui uma vaga na Drake University, em Iowa (suas notas eram impressionantemente altas), que ele trocou depois de um ano pela Universidade de Massachusetts, onde se graduou. Formou-se em história e admirava os romances de Tolstói. Terminados os estudos, trabalhou no mercado imobiliário. Depois, com o dinheiro de títulos públicos de Israel que seu avô lhe dera, foi para o ramo das limusines e adquiriu dois veículos. Por razões que não compreendo totalmente, a iniciativa não deu certo. Ele tinha uma namorada bonita chamada Paula Black; Paula sofria de depressão e se matou enquanto ele viajava: saltou da sacada do apartamento dele, no nono andar de um edifício na Sheridan Road.

Quando soube da morte de meu filho, por algum motivo não submergi imediatamente na dor. Revertendo o funcionamento tradicional da dor, foi com o passar dos anos que ela pouco a pouco se acentuou. Quando faço minhas visitas semestrais ao cemitério e contemplo sua sepultura (Burton Epstein, 1962-1990), só consigo pensar no desperdício, em todos os anos que ele perdeu. Em uma estante de livros perto de minha escrivaninha, tenho uma fotografia dele ainda menino, sorrindo, aos oito ou nove anos de idade. Incorporei seu nome a muitas de minhas senhas do computador. Hoje ele teria 60 anos, mas não tenho uma noção clara do homem que viria a ser. Nunca falo sobre ele com ninguém, exceto com sua filha. Quando ele morreu, ela não completara sequer um ano; a essa jovem bonita, inteligente e de natureza artística que nunca conheceu o pai, ofereço anedotas e fatos dispersos sobre ele.

Sobre a morte de meu filho, a única nota de condolências memorável veio de meu amigo Norman Podhoretz, lembrando que o único pequeno consolo que eu talvez pudesse encontrar na morte de um filho era o fato de que dificilmente algo tão triste assim aconteceria de novo em minha vida. Redigir condolências para os enlutados é talvez a mais difícil de todas as composições. É preciso evitar platitudes, eliminar os clichês, excluir qualquer sentimento falso. No entanto, o que se poderá escrever que ofereça de fato um consolo verdadeiro? Quando anunciam uma morte, políticos e âncoras de televisão murmuram uma frase rotineira – "Nossos pensamentos e orações estão com a família" – que só revela negligência e falta de reverência autêntica.

O mesmo vale para discursos fúnebres, quase sempre proferidos por clérigos que não conheciam o morto e muitas vezes resultando em platitudes e metáforas gastas. Essas eulogias vazias são muito bem satirizadas pela história

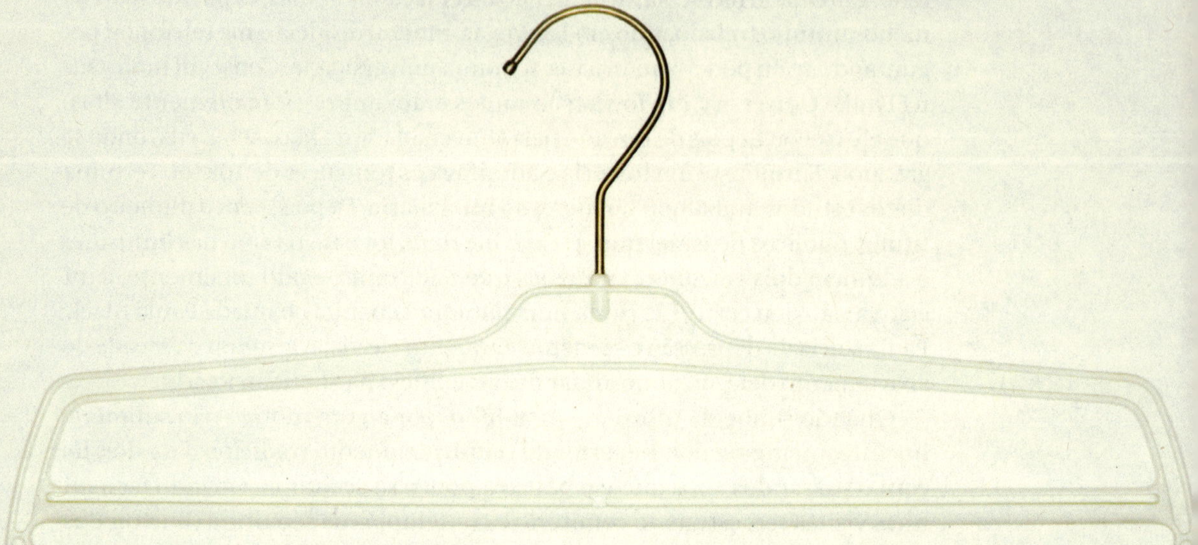

do sr. Birnbaum, que pede ao rabino que recite o *kadish* para seu cachorro Buster, que acabara de morrer. O rabino explica que judeus não fazem a prece para animais. Birnbaum insiste, argumentando não ter nenhum parente vivo e que, nos últimos anos, Buster tinha sido sua única família. Faz então uma oferta: se fosse atendido, a instituição de caridade voltada para a juventude carente que o rabino administrava receberia um cheque de 20 mil dólares. O rabino, contrariado, aceita. Na tarde seguinte, na capela privada da sinagoga, o rabino passa 20 minutos rezando o *kadish*, celebrando Buster. No fim, o sr. Birnbaum sobe no bimá às lágrimas, entrega o cheque ao rabino e lhe agradece profusamente, acrescentando: "Sabe, rabino, até esta tarde eu não tinha a menor ideia de tudo que Buster fez por Israel".

Em *On Grief and Grieving*, Kübler-Ross e Kessler, especialistas no processo do luto, falam da terapia como o grande bálsamo para a perda, seja por meio de sessões particulares ou em grupos de apoio. Também encorajam o choro, tanto para homens quanto para mulheres. Admitem que falamos aqui de uma dor que é "um reflexo de uma perda que nunca vai embora". Sugerem então a possibilidade de uma espécie de dor apropriada, ou adequada, mas jamais conseguem definir o que seria isso. Às vezes, chegam a fazer com que o luto pareça um exercício de aperfeiçoamento pessoal: "A perda nos oferece uma rara oportunidade de nos relacionarmos com nós mesmos de uma maneira mais completa, mais racional e mais amorosa". E escrevem: "Pois, de fato, temos um dever imperfeito – ou, se não isso, uma forte razão moral para viver o luto, razão que está enraizada no dever mais geral de buscar o autoconhecimento. No luto, mostramos amor e respeito por nós mesmos." Essa última frase é ecoada, ao pé da letra, por Michael Cholbi em *Grief*.

Embora admita que a dor da perda é "talvez o maior fator de estresse na vida", Cholbi não a considera uma forma de loucura ou algo digno de medicação, pois não é doença ou distúrbio. Considera-a antes parte "da complicada situação humana", uma parte que de fato desafia o entendimento filosófico. "Podemos viver a dor da perda de maneira mais inteligente", ele escreve. "Mas, em última instância, não podemos ludibriar a dor. Nem devemos desejar isso." Em última instância, nunca nos recuperamos da dor; com sorte, conseguimos apenas nos ajustar a ela.

—

Em minha mesa, há um boleto do Cemitério Waldheim no valor de 150 dólares, referente ao plantio de flores na sepultura de minha avó materna, uma mulher que morreu quando eu era muito pequeno e de quem não tenho nenhuma lembrança. Seu marido morrera jovem, e ela, verdadeira matriarca, criou cinco crianças. Minha mãe, eu sei, a admirava muito. No caso de minha

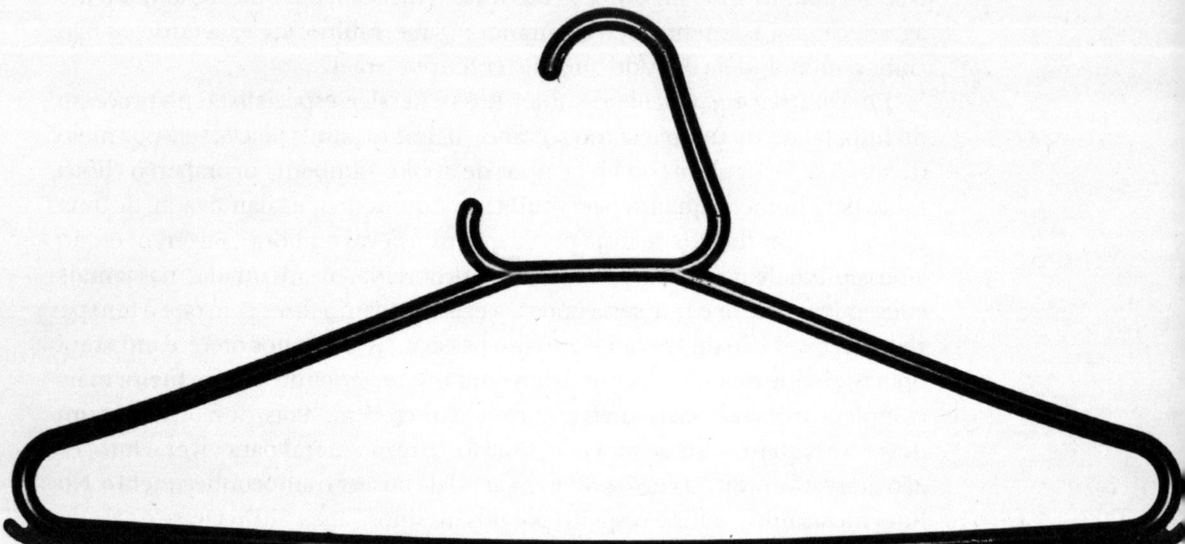

mãe, pago todos os anos pelo plantio de flores em sua sepultura no Cemitério Westlawn, mas não nas de meu pai e de meu filho. Creio que, quando vivos, os dois não se importariam com esse tipo de coisa. Mas o que fazer quanto à avó que nunca conheci? Os 150 dólares não são exorbitantes, mas também não são triviais. Devo pagar?

Todos nós, creio, temos um dever para com nossos mortos, mesmo se não os conhecíamos. Em *A cidade antiga*, Fustel de Coulanges nos lembra que os gregos antigos, os latinos e os hindus acreditavam que a alma, divina, também era enterrada com o corpo. Deixavam comida nas sepulturas dos mortos e vertiam vinho sobre suas tumbas. A personagem Ifigênia, de Eurípides, exclama: "Derramo sobre a terra da sepultura: leite, mel e vinho, pois é com isso que alegramos os mortos". O sentimento religioso parece ter começado com a adoração pelos mortos. "Foi talvez contemplando os mortos que o homem concebeu pela primeira vez a ideia do sobrenatural e começou a ter uma esperança que ultrapassava o que ele via", escreveu Fustel de Coulanges. "A morte era o primeiro mistério, lançando o homem no rastro de muitos outros. [...] Ela elevava seus pensamentos do visível para o invisível, do transitório para o eterno, do humano para o divino."

Enviarei o cheque para o Cemitério Waldheim hoje mesmo.

Estilista de corte satírico e incansável disposição para a controvérsia, **Joseph Epstein** (1937) é um dos principais nomes do ensaísmo americano. Autor de mais de 30 livros sobre os mais variados temas, da crítica de costumes à filosofia, tem traduzido no Brasil um único volume, *Inveja* (Arx, 2004). Dele, a ***serrote*** já publicou "Charmoso, eu sei" (#3), sobre Fred Astaire, "F de fofoca" (edição especial 11 ½) e "Infantocracia" (#18). Este ensaio, originalmente intitulado "Good Grief", foi publicado na edição de julho/agosto de 2022 da *Commentary*.
Tradução de **Odorico Leal**

O artista visual **André Penteado** (1970) vive em São Paulo e trabalha principalmente com fotografia e vídeo. As imagens aqui publicadas fazem parte de uma série de 36 fotografias dos cabides nos quais Penteado recebeu as roupas do pai depois de seu suicídio.

Cadernos de campo

Michael Taussig

Em suas anotações, antropólogos e escritores transformam o cotidiano num mundo subaquático em que as coisas da superfície tornam-se valiosas e estranhas

Roland Barthes perdeu a esperança nos diários. Chatos demais. Frustrantes demais. Chamava isso de *a doença do diário*. Mas havia neles um ponto de interesse, relacionado à releitura de uma entrada muitos meses ou anos depois de sua escrita. Isso poderia ser prazeroso por despertar uma memória não daquilo que estivesse escrito, mas dos "interstícios da anotação". Por exemplo, relendo a entrada em que conta ter precisado esperar um ônibus na *rue de* Rivoli, em Paris, depois de uma noite frustrante, ele recorda o cinza: "inútil, aliás, tentar descrevê-lo agora, senão vou perdê-lo ainda em proveito de outra sensação silenciada, e assim por diante, como se a ressurreição se desse sempre ao lado da coisa dita: lugar do Fantasma, da Sombra".[1] Isso é certamente intrigante, mas o que é o Fantasma, e o que ele pode nos informar a respeito dos cadernos de campo?

1. Roland Barthes, "Deliberação", *in* *O rumor da língua*. Trad. Mario Laranjeira. São Paulo: Martins Fontes, 2004.

MX
DF.
OXC.

Para responder a essa pergunta, devo observar de partida que não apenas os antropólogos têm cadernos de campo. Aparentemente Walter Benjamin, intelectual notável, se sentia perdido na ausência de um. "Em todo caso", escreve Hannah Arendt,

> nada foi mais característico de Benjamin nos anos 1930 do que aqueles pequenos cadernos de capa preta que ele sempre carregava consigo e nos quais sempre inscrevia sob a forma de citações aquilo que, na vida diária e na leitura, o enredava como se enredam as "pérolas" e os "corais".[2]

2. Hannah Arendt, introdução a Walter Benjamin, *Illuminations*. Nova York: Schocken, 1969, p. 45.

Ela faz referência à peça *A tempestade*, de Shakespeare.

> A cinco braças jaz teu pai;
> E o pó dos ossos já se esvai
> Em madrepérola e coral;
> E nele tudo que é mortal,
> Tudo o que some e que definha,
> Numa transformação-marinha,
> Vira algo estranho e interessante.[3]

3. William Shakespeare, *A tempestade*. Trad. José Francisco Botelho. São Paulo: Companhia das Letras, 2022.

A alusão a pérolas e corais sugere que um caderno converte o cotidiano em um mundo subaquático em que as coisas da superfície se transformam, tornam-se valiosas e estranhas. As anotações em um caderno são aquilo que foi escolhido e roubado de um submundo. Pertencem a uma ordem de realidade totalmente distinta, e tudo indica que as notas do caderno de Benjamin compõem uma miscelânea selvagem. Arendt enfatiza o impacto surreal da justaposição das entradas. Ao lado de um poema como "Als der erste Schnee fiel"[4] [Quando caiu a primeira neve], havia um relato sobre Viena datado de 1939, segundo o qual a companhia de gás local "havia parado de fornecer gás aos judeus. O consumo de gás pela população judaica representou um prejuízo para a distribuidora, já que os maiores consumidores eram os que não pagavam suas contas. Os judeus usavam o gás especialmente para cometer suicídio."[5]

4. Poema do prussiano Günther von Goeckingk (1748-1828). [N. da T.]

5. Hannah Arendt, *op. cit.*, p. 46.

Havia muito que Benjamin desejava publicar um livro composto apenas de citações. Isso se cumpriu com a publicação, muito posterior à sua morte, do que veio a ser chamado de *Passagens* [*Das Passagen-Werk*] e que, em suas 954 páginas, constitui um dos poucos casos registrados em que um caderno – ou um conjunto de arquivos de notas – foi

Andrés Sandoval
Caderno de viagem, Cidade do México e Oaxaca, 2015

publicado em seu estado original.[6] (Ele não considerava *Rua de mão única* – o único volume que publicou em vida, uma seleta de suas observações aforísticas e surreais – um livro, mas um caderno.)

6. Walter Benjamin. *Passagens*. São Paulo: Imprensa Oficial, 2007.

Muito antes da publicação póstuma das *Passagens*, em um fascinante ensaio chamado "Desempacotando minha biblioteca",[7] Benjamin apresenta algumas ideias notáveis sobre o colecionismo que considero tão pertinentes a seus cadernos quanto aos cadernos de campo, porque cadernos de campo são exatamente isto: coleções. Em dado momento, ele caracteriza uma coleção "verdadeira" como uma *enciclopédia mágica*, devido a suas qualidades ocultas e propensões divinatórias. Uma vez que os itens de uma coleção gravitam na direção de alguém pela força do acaso, ela pode servir de instrumento de adivinhação, já que o acaso é o reverso do destino. Trata-se, é claro, de uma ideia extravagante, como a visão do detetive particular Clem Snide[8] tentando solucionar um caso ao sentar-se e ouvir aleatoriamente gravações de som que fez na mansão vazia do homem morto na Grécia a 30 metros da praia. Seu gravador é "especialmente projetado para cortes e sobreposições e você pode passar de Gravação a Reprodução sem interromper a máquina".[9] Ele grava a descarga da privada e a água do chuveiro correndo, as persianas sendo abertas, o retinir da louça, o som do mar e do vento enquanto caminha pela praia, e também a música *disco* que embalou a dança do homem morto. Tudo isso é interrompido pela sua própria leitura de *The Magus*, bem como pelo seu "pensar em voz alta" sobre o caso. Mais adiante, escolhe aleatoriamente diferentes trechos da gravação enquanto assiste a programas da TV grega, para escutar os áudios apenas de forma subconsciente. "Já solucionei casos como este sem ter nenhuma pista, apenas saindo e caminhando a esmo", diz ele.[10]

7. *In* Walter Benjamin, *Rua de mão única: obras escolhidas. Volume 2*. Trad. Rubens Rodrigues Torres Filho e José Carlos Martins Barbosa. São Paulo: Brasiliense, 1987.

8. Clem Snide é personagem recorrente em vários romances de William S. Burroughs. [N. da T.]

9. William S. Burroughs, *Cities of the Red Night*. Nova York: Holt, Rinehart, and Winston, 1981, pp. 43-44.

10. *Ibidem*, p. 140.

Em outras palavras, o acaso determina (que frase estranha!) o que entra em uma coleção, e o acaso determina seu emprego. (Imagine uma *ciência* social que não apenas admite esse princípio, mas o coloca em prática!) Isso me parece uma forma perspicaz de retratar o caderno de um pesquisador de campo. Mas eu ainda quero acrescentar uma outra característica que diz respeito à magia da *enciclopédia mágica*, e é dessa maneira que o caderno é de fato uma extensão do sujeito, se não mais sujeito que o próprio sujeito, como um órgão totalmente novo que margeia o coração ou o cérebro, para citar os órgãos mais evocativos de nosso eu interior.

O que esse novo órgão faz é incorporar outros mundos ao mundo de alguém. Isso não fica óbvio quando o próprio Benjamin declara que o verdadeiro colecionador não considera que seus objetos ganham vida por sua causa, mas, pelo contrário, que seria ele quem existe em virtude dos objetos?[11]

11. Ver Walter Benjamin, *op. cit.*, 1987.

Isso eu chamarei de *fetiche*, um objeto que nos é tão precioso a ponto de parecer estar possuído por poderes espirituais. Embora se trate de uma *coisa* – e considerando a noção de mais-morta-que-morta que podemos atribuir a uma *coisa* –, ela é, ainda assim, venerada a ponto de poder nos intimidar e nos transformar em seu cúmplice, e até mesmo escravo. Aquilo que deveria ser apenas um mero instrumento ou ferramenta, um simples caderno, acaba sendo um fim em si mesmo.

Este é o cerne daquilo que Marx sugeriu sarcasticamente em sua obra-prima, *O capital*, na qual ele cunhou a noção de "fetichismo da mercadoria", expressando que vivemos hoje em um mundo de fantasmas que tomamos pela realidade e que, por um golpe do destino, o produto do nosso trabalho foge ao nosso controle e acaba nos dominando. E isso também vale para Deus, o produto da imaginação humana que virou a mesa e disse aos homens que ele, o inigualável Deus, os havia criado. Mas com seu fetiche trabalhando duro 24 horas por dia, sete dias por semana, como um amuleto mágico, a situação não é tão unilateral. O fetiche precisa se manifestar. Ele é reverenciado, claro, mas também comandado, e espera-se que ele realize trabalhos mágicos.

É uma ironia que o antropólogo – ou seja, eu – dado a estudar o fetichismo desenvolva sem querer com seus cadernos um fetiche pessoal e não apenas se torne um escravo de seu fetiche, mas também se apaixone por ele! Pois em meus primeiros dois anos de trabalho de campo na Colômbia, na América do Sul, encontrei cortadores de cana, *corteros*, que eram pagos pelo montante de cana que cortavam e sobre os quais havia rumores de estarem em conluio com o demônio e possuírem uma estatueta de madeira que ficava escondida no mato; inclinado sobre ela, o *cortero*, à sua maneira solitária, supostamente corta uma faixa através da cana enquanto emite gritos estranhos para que sua colheita seja magicamente maior que a do trabalhador comum. E lá estava eu, o antropólogo, registrando tudo aquilo em meu caderno, cheio de seus próprios gritos.

Os cortadores de cana podiam ter suas estatuetas misteriosas. Mas eu tinha meus cadernos misteriosos, que sem dúvida aumentaram minha produtividade, comparável à quantidade de cana cortada –, e os cadernos tinham esse poder porque não eram um depósito ou um estacionamento de ideias. Os cadernos se tornaram fins em si mesmos e, assim, encorajaram ativamente contribuições do campo – o campo sendo, é claro, ao mesmo tempo observador e observado e observador observado. Os cadernos se tornaram ávidos por entradas, como os demônios sobre os quais eu li e que, dizem, descansam nos estômagos das bruxas em Camarões, demônios que eram aliados do desenvolvimento pessoal, mas estavam sempre prontos a se voltar contra seus mestres.[12]

12. Peter Geschiere, *Occult in Postcolonial Africa, The Modernity of Witchcraft: Politics and the Occult in Postcolonial Africa.* Charlottesville: University of Virginia Press, 1997.

Os fetiches de Benjamin são, no entanto, mais enternecedores. "Carrego o caderno azul comigo a toda parte", ele escreveu em uma carta de agradecimento a Alfred Cohn, em 1927:

> E não falo de nada além disso. E não sou o único – outras pessoas também sorriem de prazer quando o veem. Descobri que ele tem as mesmas cores de uma certa porcelana chinesa bonita: seu verniz azul está no couro, seu branco, no papel, e seu verde, na costura. Outros o comparam a sapatos do Turquestão. Estou certo de que não há nada deste tipo tão belo quanto ele em toda a Paris, ainda que, em toda a sua atemporalidade e localização indeterminada, também seja um tanto moderno e parisiense.[13]

13. Ursula Marx *et al.* (orgs.), *Walter Benjamin's Archive: Images, Texts, Signs.* Trad. Esther Leslie. Londres: Verso, 2007, p. 151.

Seria esse um caso daquilo que Frazer chamou, em *O ramo de ouro*, de magia "homeopática", a mágica do *semelhante afetando o semelhante*, uma vez que Benjamin não usa o fetiche do caderno para pegar carona no fetichismo que, segundo sua interpretação do marxismo, veio a definir o mundo moderno? Essa estratégia de aliança com o fetichismo da mercadoria certamente seria compatível com o trabalho de Benjamin como um todo e, com efeito, sua inspiração. O que o caderno acrescenta a tal estratégia de aliança com o fetichismo da mercadoria, no entanto, é o fato de que o próprio instrumento de pesquisa é um fetiche. Em inglês, temos a expressão "*set a thief to catch a thief*" [botar um ladrão para pegar um ladrão], cuja ideia é que um ladrão conhece melhor a mente de outro ladrão. O que ocorre com o uso de cadernos por Benjamin é análogo: designar um fetiche para capturar um fetiche.

Com suas "pérolas" e "corais", o caderno está fadado a assumir seu caráter fetichista pelo fato de, desde o início, antes mesmo que uma palavra seja escrita em seu adorável interior,

papalometl
mixteca
filtrado com pechuga
c/ frutas. maçã
cerimonial p/ casamentos e
assim...

tepextate

Fermentação - madeira
destilação - cobre 9/48. 2015
[illegible] : Álvaro [illegible]
origem : Gruxe / Tepextate Mamanuta.

ser ele um presente. Pois os presentes trazem em si um espírito, o da generosidade, que supõe outro presente em retribuição. Trata-se de coisas que têm, por assim dizer, um desejo e uma vida própria. De fato, em seu famoso ensaio sobre a dádiva, Marcel Mauss a descreveu como "o espírito da coisa dada", pois os presentes fazem com que os que são presenteados retribuam, e isso Benjamin manifesta plenamente em sua carta de agradecimento a Cohn, oferecendo algo gracioso de volta – graça pela graça –, entregando algo maravilhoso de si mesmo que o presente do caderno trouxe à tona.

Então, o que oferece esse presente que é o caderno de Benjamin? O que são exatamente suas "pérolas" e "corais"? Bem, de um jeito ou de outro, eles têm tudo a ver com aquilo que Marx chamou de mercadoria: desde coisas compradas e vendidas no mercado até sua apresentação mais difusa nos confins da sociedade.

Em outras palavras, seu caderno representa a qualidade fetichista do presente exercida sobre a qualidade fetichista da mercadoria. Nesse sentido, o que podemos chamar de ser interior do caderno é um duelo histórico mundial entre a dádiva e a mercadoria, paralelo às ações daqueles personagens caros a Benjamin que estão na periferia do mercado, a saber: o *apostador*, o *flâneur* e, é claro, o *colecionador*. Eles assombram cada página das *Passagens* de Benjamin.

Além do presente de Alfred Cohn, outros cadernos de Benjamin foram salvos, e também sugerem que seu dono dedicou-se a eles por conta de seus detalhes materiais, como quando confessa o que chama de sua "vergonhosa fraqueza" pela "papelaria extremamente fina, transparente, mas excelente, que infelizmente não consigo encontrar em nenhum lugar por aqui".[14]

Meticuloso. Obsessivo. E algo mais. Esse "algo mais" não se perde nas mãos dos editores e colecionadores dos restos mortais de Benjamin, a exemplo de quando escrevem sobre a "qualidade quase mágica" e sobre o que chamam de "culto" que os cadernos constituíam para seu dono. Na verdade, eles mesmos parecem ter sido picados pela mosca do fetiche, quando nos dizem, por exemplo, que "o papel *chamois* colorido de um caderno de capa dura, contendo anotações, rascunhos de críticas e entradas de diário dos anos 1929-1934, é mais grosso e tem – transversal e longitudinalmente – uma estrutura de linhas finas".[15] No entanto, o grau de absorção pela coisidade da coisa não é nada comparado às ilustrações dos cadernos que eles disponibilizam – como se vê na fotografia colorida de

14. *Ibidem*, p. 152.

15. *Ibidem*.

página inteira daquilo que é intitulado *Caderno Ms 673. Capa de couro (1927-1929)*. Aqui, toda a página não passa de um retângulo preto com uma borda superior ligeiramente desnivelada e traços de irregularidade na superfície (por que imprimir a cores algo que não tem cor?).[16] A nulidade reluz com importância oculta. "Você pode nos fotografar", alerta o fetiche, dando uma piscadela, "mas não pode tomar nosso poder."

16. *Ibidem*, p. 155.

O mesmo ocorre com os 73 cadernos de Le Corbusier. Refiro-me a cadernos de esboços. Sim! Setenta e três, e todos, até onde sei, publicados em mais de quatro mil páginas contendo uma réplica fotográfica de cada uma das páginas originais. O que ele queria eram edições que alcançariam o maior público possível, para espalhar suas sementes entre as massas. "Corbu" é como nosso bibliotecário da seção de arquitetura se refere a ele, como a um cachorro de estimação ou um ídolo pop. Seus livros ocupam um nicho especial atrás do balcão de livros reservados. Abro a página do volume 1, publicado pela MIT Press. Eu mal consigo suportar o peso do livro com apenas uma mão. O volume 1 cobre os anos de 1914 a 1948. No lugar de um sumário, o livro se abre em fileiras de minúsculos e indistintos retângulos cinza que, olhados mais de perto, revelam ser fotografias das capas dos 13 cadernos que, um depois do outro, compõem esse período. Quanta reverência! Como as joias da coroa. Alguns trazem um rabisco obscuro, outros, uma data, por exemplo: "Paris/1918". Assim como na fotografia colorida de página inteira do caderno de Benjamin, o intervalo entre o apreço despertado pelo objeto e sua representação pictórica enquanto objeto é terrivelmente grande – o que de pronto suscita a questão: *por que dar-se ao trabalho?* Qual é a necessidade aqui – a necessidade de apreender o objeto como uma imagem a curta distância?

Com essa pergunta, esbarramos em uma profunda e perturbadora verdade acerca dos cadernos: é certo!, eles podem ser fetichizados por seus donos, mas tanto mais pelos seguidores de seus donos, o que equivale a um processo duplo, de duas camadas – a fetichização do fetiche! É como se o caderno oferecesse os "bastidores", uma "posição de vantagem" para acessar a alma da pessoa que alimentou aquelas páginas, bem como uma posição de vantagem com relação à gênese de suas ideias e conquistas. É como estar a par dos segredos do laboratório de um alquimista, alentado por seus pontos fracos e debilidades demasiado humanos.

metate
molcajete

Ex-convento de
Santo Domingo -
yacarandá

E não somos, todos nós, "seguidores"? Não seria a presunção da "posição de vantagem" algo a que todos nos apegamos e que, na verdade, está por trás do meu próprio interesse pelo valor dos cadernos? Pensamos estar assistindo a uma mente em ação e podermos, por assim dizer, bisbilhotá-la. Mas, na realidade, quando abrimos a maioria das páginas dos cadernos de esboço de Corbu, não sabemos o que pensar. Tudo é assustadoramente obscuro, como um gênio rabiscando para sua musa. O que nos resta é, na melhor das hipóteses, um brilho cálido.

"Quando alguém viajava com Le Corbusier", escreve o autor do prefácio,

> com frequência o via sacar um caderno do bolso para registrar algo que apenas pensara ou vira. Nesses momentos, Le Corbusier desenhava como quem toma notas, sem tentar produzir uma imagem bonita, mas simplesmente imprimir em sua memória uma ideia central, para lembrar-se dela, assimilá-la. Muitas vezes ele dizia: "Não tire fotografias, desenhe; a fotografia interfere na visão, o desenho fica estampado na memória".

Ele anotava "essas frases espontâneas que não podem ser repetidas, vagas demais para qualquer coisa além de um caderno pessoal".[17]

O caderno é tão encantado como encantador, ao menos de longe. A maneira como ele entra e sai do bolso do Grande Homem. Ele é todo corpo, também. Esqueça a fotografia. Ela se impõe entre o sujeito e o objeto. Seja corpóreo. Desenhe! A fotografia captura apenas a superfície, mas o caderno chega à verdade profunda das coisas. Frases gramaticalmente completas? Esqueça isso. Apenas anote. E anote mais um pouco. Linguagem de curto-circuito e eu, o escritor, junto a ela.

Essa é a ideia do caderno em seu auge místico. Fetiche do fetiche. Interior do interior. Não é de admirar, portanto, que, embora Barthes tenha se desesperado com o diário, também tenha encontrado nele o Fantasma.

17. André Wogenscky, prefácio a Fondation Le Corbusier (org.), *Le Corbusier Sketchbooks, v. 1, 1914-1948*. Cambridge: MIT Press, 1981-1982, [s.p.].

II

Cadernos gostam de viajar: primeiro rumo a novos lugares; depois, a novas ideias. Há um ritmo inquietante em meus próprios cadernos. Só os mantenho quando viajo, quando estou envolvido naquilo que considero um "trabalho de campo". Não posso e não mantenho um diário, uma agenda, um caderno – chame-o do que quiser – quando estou em casa, naquilo que chamo de "casa", embora ela esteja muito longe, do outro lado de um imenso oceano de mar e memória.

Os editores do *Walter Benjamin's Archive* observam que Benjamin estava constantemente viajando e que amava escrever em trânsito, *onde quer que se encontrasse*. Isso é análogo ao caderno de um antropólogo. "Poderia ele ter encontrado um companheiro mais fiel que seus cadernos para tudo isso?", perguntam.[18] E eu, em contrapartida, devo perguntar o que poderia expressar mais fielmente o fetichismo do caderno do que sua descrição como um "companheiro fiel" – embora isso também seja triste, dada a solidão de seu dono. Devemos assumir que o caderno é um alter ego, e que é para essa estranha entidade que escrevemos, fazendo dele – esse mero objeto de papel (e sua capa de couro elegante) – um ser humano profundamente receptivo, sedento por mais?

William S. Burroughs também tinha seu caderno de viagem. Segundo o próprio autor, ele dividia a página em três colunas. A primeira continha os elementos mais ou menos factuais da viagem – fazer *check-in* no balcão de embarque do aeroporto, coisas que os funcionários dizem, outras que ele ouve, e assim por diante. A segunda continha as lembranças que essas coisas despertavam. E a terceira, aquilo que ele chamava de "coluna da leitura", que consistia em citações de livros que ele levava consigo e estavam conectados com a viagem. Ele considerava as conexões extraordinárias, "se você mantiver os olhos de fato abertos".[19]

O caderno é como um objeto mágico em um conto de fadas. É muito mais que um objeto, já que habita e preenche o solo sagrado que se interpõe entre a meditação e a produção. Escrever é, de fato, uma atividade estranha. "Ele estava movido pela ambição de preenchê-los", comentam os editores de *Walter Benjamin's Archive*.[20] Sem o caderno, nada! Ou ao menos muito pouco, embora eu atente para exceções míticas como Edmund Leach, que escreveu seu clássico *Sistemas políticos da Alta Birmânia* depois de perder a maior parte de seus cadernos de campo quando fugiu do exército japonês na Birmânia durante a Segunda Guerra Mundial.[21]

18. Ursula Marx *et al.* (orgs.), *op. cit.*, p. 153.

19. Entrevista de William Burroughs a Conrad Knickerbocker, St. Louis, 1965, "White Junk", *in*: *Burroughs Live. The Collected Interviews of William S. Burroughs, 1960-1997*. Los Angeles: Semiotext(e), 2001, p. 69.

20. Ursula Marx *et al.* (orgs.), *op. cit.*, p. 153.

21. Edmund Ronald Leach, *Sistemas políticos da Alta Birmânia: um estudo da estrutura social Kachin*. São Paulo: Edusp, 2014.

Estaria essa perda ligada – ou fadada – à sua tentativa resoluta de mais tarde derrubar o modelo de equilíbrio estável da sociedade que dominou a antropologia social britânica? De certa forma, ele não derrubou nada. O que fez foi restabelecer o modelo de equilíbrio social em um plano mais elevado, preservando o ciclo de transformação social da anarquia para a hierarquia e de volta à anarquia por um longo período. Esse ciclo é análogo ao ciclo de perda e redescoberta.

Em outras palavras, essa perda das notas de campo acabou sendo a exceção proverbial que comprova a regra, outra forma cíclica. Aqui, o drama da perda – como o de perder um amor ou um filho – oferece um testemunho sarcástico do poder vigoroso do caderno, cuja perda pode, aliás, produzir um efeito-caderno ainda maior que o próprio caderno. A perda do caderno – e quem não sofreu essa terrível fatalidade pelo menos uma vez na vida? – se abre para o grande vazio do qual a monografia posteriormente publicada extrai sua força. Por trás do caderno perdido está o caderno-fantasma. (O que faz o fetichista quando perde seu fetiche?)

O inverso não é menos verdadeiro. Quantos donos de caderno finalizam seus projetos sem consultar as anotações nem uma vez sequer? Muitos, isto é certo. Contanto que o caderno esteja presente em sua presencialidade, não é preciso abrir sua capa. Há algo absurdamente reconfortante na existência da Trindade que consiste em

Você
o Evento
e o Evento Anotado no Caderno

pois agora você pode, por assim dizer, prosseguir caminhando empertigado, e até mesmo sobre as águas, sem ter que consultar o caderno. O simples fato de saber que ele está lá fornece a armadura da verdade, do "isso aconteceu", que, como as agarras de um alpinista, permitem escalar grandes alturas.

É por isso que a materialidade do caderno chama tanta atenção. Trata-se de um dispositivo que representa o pensamento, a experiência, a história e a escrita. A materialidade do caderno presenteado por Alfred Cohn é adorável. É linda, assim como o azul da porcelana chinesa. Quão maravilhosamente polida, frágil, distante e exótica é a qualidade indefinível de textura e luz do "verniz" do azul do couro! E há também a brancura do papel e o verde da costura que mantém a coisa toda unida.

A costura verde: enquanto fala sobre isso Benjamin poderia estar costurando-se em verde no seu caderno pelo fato de ser alguém sem endereço fixo? Será o caderno uma forma de esconder-se do mundo, roubando os segredos com os quais você forra a sua toca?

Em dado momento, Benjamin apela a seu mecenas de cadernos, Alfred Cohn, por mais um caderno, pois não pode "pensar na perspectiva de ter

22. Ursula Marx *et al.* (orgs.), *op. cit.*, p. 152.

que, em breve, voltar a escrever pensamentos sem-teto".[22] Mas quem está sem abrigo é ele.

À materialidade do caderno, devemos somar a materialidade da linguagem, como manifestada pela escrita microscópica das notas. Benjamin podia compactar um ensaio inteiro em uma só página. Nas 63 páginas de um dos cadernos, por exemplo, há os esboços de transcrições completas de mais de 20 ensaios. "A escrita de um homem encarcerado", me disse Klaus Neumann certa vez. Além disso, há o cuidado que Benjamin teve com a forma gráfica em seus cadernos. Ao que parece, há muitas páginas que remetem à diagramação Dada e cores exuberantes, de modo que os subtítulos, em verde, amarelo, azul, vermelho e laranja, saltam em nossa direção.

III

Basta de cadernos. Mas aqui devo fazer uma pausa para abordar a diferença entre o *caderno* – esse receptáculo provisório de aleatoriedade inspirada – e o *diário*, esse confidente mais ou menos estável do cotidiano.

A princípio, fico impressionado com as reações extremas com que deparei no que diz respeito a manter um diário. Enquanto considero a forma do diário compatível com meu trabalho, outros desdenham dela. Conheci antropólogos que me disseram não suportar olhar para seus cadernos de campo, pois são muito chatos. Mas lembre-se aqui dos "interstícios da anotação" de Roland Barthes; seu reconhecimento de que uma entrada de diário tipicamente mundana, sobre a espera por um ônibus às sete da noite sob uma chuva fria na *rue de Rivoli*, em Paris, o faz lembrar – em sua releitura – o cinza da atmosfera, *justamente porque não foi registrado*. O "lugar do Fantasma, da Sombra".[23]

23. Roland Barthes, "Deliberação", *in O rumor da língua*. Trad. Mário Laranjeira. São Paulo: Martins Fontes, 2004.

Considero essa observação intrigante uma confirmação impressionante da imagem freudiana do bloco mágico, segundo a qual, no momento em que é processada – neste caso, pela escrita, como no bloco mágico ou no diário –, a observação desaparece. É claro que, em relação ao diário, ela não desaparece literalmente. Ela está lá e permanece na página, mesmo que nunca mais seja vista. O que desaparece é mais uma qualidade do que um fato. Mas, à medida que desaparece,

ollas de
colima

pequeno metate para moer corantes
Veracruz

outra sensação silenciada emerge na releitura. De fato, escrever é uma atividade complicada – é isso que a escrita de um diário revela –, mas nem de perto tão complexa quanto a leitura, e em especial a releitura do que se escreveu sobre o passado recente.

Penso no Fantasma de Barthes como pertencente à mesma estirpe de parentes representacionais do *terceiro significado* que ele discerne na imagem fílmica. É para isso que Joan Didion chama nossa atenção em seu ensaio "Sobre ter um caderno", mas, ao contrário de Barthes, ela acha útil, de fato inspirador, reverenciar o Fantasma.

Ela também não tem tempo para diários. Como Barthes, ensaiou manter um diário, mas, sempre que tentava registrar zelosamente os acontecimentos do dia, era vencida, diz ela, pelo tédio.[24] Ela conta que os resultados eram, quando muito, misteriosos. E por que misteriosos? "O que quer dizer", escreve ela, "'fazer compras, datilografar ensaio, jantar com E, depressão?' Comprar o quê? Datilografar que ensaio?" E assim por diante.

Mas um caderno – o caderno dela – é diferente de um diário. Para Didion, os cadernos nada têm a ver com o registro factual do dia a dia. Eles contêm o que eu chamaria de "faíscas" ou, melhor dizendo, um pavio seco, que, nas mãos certas, no momento certo, explodirá em chamas. Talvez eu deva chamar esse pavio seco de "interstícios da anotação". Em outras palavras, o caderno está nos confins da linguagem e da ordem. Ele se encontra nos confins da linguagem em suas anotações não gramaticais e arrotos e soluços em *staccato*. E está nos confins da ordem porque representa o polo do acaso de uma coleção, e não o polo do projeto. É mais aberto ao acaso que um diário, por exemplo, que é ordenado pela roda do tempo. Em outras palavras, a página do caderno é feita de interstícios – impossível, mas verdadeira. Impossível porque interstícios são espaços entre coisas. Mas não há coisas. É como se houvesse um inconsciente sem uma consciência. E isso nos leva de volta à releitura do próprio diário, que evoca a *sensação silenciada*. O diário e o caderno convergem nesse ponto crucial.

Yeats expressa quase a mesma ideia quando anota o seguinte em seu diário, em 1909:

24. Joan Didion, "Sobre ter um caderno", *in Rastejando até Belém*. Trad. Maria Cecília Brandi. São Paulo: Todavia, 2021, p. 135.

> Para fazer com que essas notas se mantenham naturais e úteis para mim, devo evitar que uma nota leve a outra, para não me entregar à literatura. Cada nota deve sair como um pensamento casual, e então ela será a minha vida. Nem Cristo, nem Buda, nem Sócrates escreveram um livro, pois fazer isso é trocar a vida por um processo lógico.[25]

25. W. B. Yeats, *Autobiographies*. Nova York: Scribner, 1999, p. 341.

De improviso, Didion se pergunta se não seria melhor chamar as anotações em seu caderno de *mentiras*, o tipo de observação momentânea que um escritor (de ficção?) pode considerar útil, tal como: "'Aquela tal de Estelle é em parte a razão por que George Sharp e eu estamos hoje separados.' *Kaftan de crepe da China sujo, bar do hotel, estação de trem em Wilmington, 9h45 de uma segunda-feira de agosto.*"[26]

26. Joan Didion, *op. cit.*, p. 133.

De fato, ela inicia seu ensaio "Sobre manter um caderno" ali mesmo, *in medias res*, com "Aquela tal de Estelle", acionando assim o mecanismo do Fantasma de Barthes. Ela puxou esse fio e criou uma mistura maravilhosa ou, devo dizer, uma concatenação, de eventos e ideias. "Em que medida isso realmente aconteceu?", ela pergunta enfim, quando tem tempo para respirar.

Ela escreve sobre a "garota da Costa Leste" que abandona o homem ao seu lado, volta para a cidade, e tudo o que "ela enxerga adiante são as calçadas grudentas do verão".[27] A mulher está preocupada com a bainha do vestido de seda xadrez e deseja poder ficar naquele bar legal e de temperatura agradável...

27. *Ibidem*, p. 133.

Em outras palavras, a observação perdida no bar acaba sendo a legenda de uma foto, de uma série de fotos, e há muitas outras notas "aleatórias" em seu caderno que sem dúvida poderiam ser evocadas para liberar o Fantasma que há nele. Uma frase de Jimmy Hoffa: "Eu posso ter meus defeitos, mas estar errado não é um deles". Um homem verificando seu casaco diz ao amigo: "Esse era o meu número no futebol". Durante 1964, 720 toneladas de fuligem caíram sobre cada quilômetro quadrado da cidade de Nova York. Essa é rotulada como "FATO".

E assim por diante. As anotações no caderno funcionam da mesma forma que os "momentos" visuais que Barthes aprecia no filme como o "terceiro sentido". Além do que ele chamava, em qualquer imagem, de informação, e além de seus valores simbólicos, algo mais espreitava na retaguarda. "Eu recebo (e provavelmente antes e sobretudo) um terceiro significado",

ele escreveu, "evidente, errático, obstinado"; e então fala sobre ser "detido pela imagem".[28]

No entanto, em toda a (aparente) aleatoriedade das notas rabiscadas em seu caderno, Didion vê uma continuidade. Todos esses fragmentos da percepção que se prestam a imagens liberam algo porque disparam um gatilho, e esse gatilho é a vida da autora, que, como as nossas, segue em transformação. O caderno – que ela opõe vigorosamente ao diário – é, portanto, um arquivo pessoal e algo mais, uma coleção que mantém o eu atual em contato com eus anteriores por meio de observações externas e comentários entreouvidos. (Isso soa muito como algo dito por um antropólogo, devo dizer.) "É uma boa ideia", diz ela, "manter o contato, e acho que manter o contato é também a principal função dos cadernos."[29]

O escritor como antropólogo? Como era o caderno de Didion quando ela estava em El Salvador preparando seu livro[30] sobre a guerra suja do Grande Comunicador? A grande e brava América, com Ronald Reagan liderando o ataque. Quantas freiras estupradas e mortas pelas tropas apoiadas pelos EUA e pelos esquadrões da morte de direita? Arcebispos assassinados?

Mas esta é a minha verdadeira questão. Que tal um diário do cotidiano naquele lugar e naquele momento? Não! Não me parece que havia muitas compras a serem feitas lá. De fato, em Outro lugar, a distinção entre o *diário* e aquilo que ela considera um *caderno* tende a se dissolver. Assim penso. O "lugar do Fantasma, da Sombra".

Esse Outro lugar pode ser bem aqui, se você quiser ser literal como foi Didion em *O ano do pensamento mágico* com relação à morte súbita de seu marido, ocorrida entre o Natal e o Ano-Novo de 2004 em seu apartamento em Nova York, no mesmo momento em que a única filha do casal estava em coma – o que também resultou em morte.[31] O que quero dizer é que Didion, aqui (como em outras partes de seu trabalho), se baseia em muitos tipos de registros e memórias que transmitem a sensação de um diário. Ela recorre a incidentes cotidianos e, em *O ano do pensamento mágico*, produz um texto que é como um elaborado diário escrito no tempo presente, ou que soa como um diário que registra a atualidade com detalhes instigantes, em cenas e *flashbacks*.

A questão é que o diário de um pesquisador de campo diz respeito à experiência em um campo de estranhamento. Não se trata de esperar o ônibus que nos leva à nossa morada

28. Roland Barthes, "The Third Meaning: Research Notes on Some Eisenstein Stills", *in* Susan Sontag (org.), *A Barthes Reader*. Nova York: Hill and Wang, 1982, p. 318.

29. Joan Didion, *op. cit.*, p. 144.

30. Joan Didion, *Salvador*. Nova York: Simon & Schuster, 1983.

31. Joan Didion, *O ano do pensamento mágico*. Trad. Mariana Vargas. Rio de Janeiro: HarperCollins Brasil, 2021.

costumeira e segura para que possamos escrever um novo artigo sobre a morte do autor. O diário de um pesquisador de campo mantém a lealdade à "comoção" que há em Didion. Mantém a fidelidade aos sentimentos e à experiência dentro do território que é o trabalho de campo, de modo que se funde com o já citado caderno, onde circula o Fantasma que habita os interstícios da notação.

O escritor como antropólogo? "Guarde todas as imagens da linguagem em um lugar seguro", escreve Jean Genet em seu último livro, *Un Captif amoureux*,[32] "e faça uso delas, pois estão no deserto, e é no deserto que devemos procurá-las."[33] Ele certamente fez isso. Como um antropólogo, mas um antropólogo mais audacioso, egocêntrico e sem bolsa de pesquisa, se aventurou muitas vezes – criando literatura etnográfica, baseada em diários, de gêneros mistos, nem isto nem aquilo, onde o não escrito prospera por causa do escrito, a meio caminho entre ficção e não ficção, saída da mão do ladrão, do inconformista sexual, do condenado e de um colaborador civil da FLP [Frente de Libertação da Palestina].

32. Romance publicado postumamente, em 1986, e traduzido no Brasil como *Um cativo apaixonado* (Arx, 2003). [N. da T.]
33. Em tradução livre. [N. da T.]

Deixe-me enfatizar esse lugar estranho onde o não escrito prospera por causa do escrito. Esse é o lugar de segurança a que Genet nos remete, e ele é como o caderno de Didion ou o diário de um antropólogo. Lá elas hibernam, essas "imagens na linguagem", como espíritos dos mortos. Todos os escritores têm seus espíritos de estimação, não é mesmo? Como nos "interstícios da anotação" de Barthes, as imagens precisam ser exiladas, digamos assim, jazendo no deserto onde devemos procurá-las. Espíritos – quero dizer, imagens – não vêm fácil, não para nós, pelo menos. É preciso reverenciar o Fantasma.

Nascido na Australia, **Michael Taussig** (1940) é professor de antropologia na Universidade Columbia, em Nova York. Médico de formação, é autor de livros como *Xamanismo, colonialismo e o homem selvagem* (Paz e Terra, 1993), *Walter Benjamin's Grave* (2006) e *I Swear I Saw This: Drawings in Fieldwork Notebooks, Namely My Own* (2011), que reúne excertos de seus cadernos de campo. Este ensaio foi publicado originalmente no primeiro volume da série de livretos 100 Notes – 100 Thoughts, editados no contexto da documenta 13, tradicional mostra de arte realizada em Kassel, na Alemanha, em 2012.
Tradução de **Julia de Souza**

O artista e ilustrador **Andrés Sandoval** (1973) vive em São Paulo e desde 2003 desenvolve projetos de livros, estampas e murais. É colaborador da revista *piauí* e de algumas das principais editoras do país. Participou da X e XII Bienal de Arquitetura de São Paulo, entre outras exposições. Os desenhos aqui reunidos estão em um dos cadernos nos quais Sandoval registra suas viagens pelo mundo.

Nova chama para o fogo negro

Ishmael Reed

Acima de inevitáveis divisões e disputas violentas, o Black Arts Movement redefiniu a cena artística e política dos EUA nos anos 1960

Tive uma oportunidade única em 1963. Morava em Nova York havia um ano e acabara de mudar de uma pensão em St. Mark's Place para um apartamento na East Sixth Street, em frente ao Tompkins Square Park. Pagava oito dólares por semana na pensão e 60 por mês pelo apartamento. Não precisava mais dividir o banheiro com outros moradores. A comida era barata: por menos de três dólares por dia, era possível sobreviver na base de *knishes,* uns pasteizinhos judaicos, e sopa de repolho ucraniana. Tinha um emprego temporário processando pedidos de pagamento de seguro no Departamento do Trabalho de Nova York, uma das muitas atividades que exerci enquanto escrevia poesia. Tinha 25 anos. Às vezes, Bob Kaufman, o grande poeta da geração *beat,* dormia no chão do meu apartamento. Ele era um sem-teto.

Alguém me falou de uma oficina para escritores chamada Umbra. O pessoal se reunia no apartamento de um dos fundadores, Tom Dent, na East Second Street, e compareci ao meu

Wadsworth Jarrell
Revolutionary (Angela Davis), 1971
Cortesia do artista e da galeria Jenkins Johnson

RESIST
IF I HAVE TO

primeiro encontro na primavera de 1963. Estavam presentes Lorenzo Thomas, Askia Touré, Charles Patterson, David Henderson, Albert Haynes e outro fundador da oficina, Calvin Hernton – escritores negros que se tornariam pioneiros do Black Arts Movement, o BAM [Movimento da Arte Negra]. Naquela noite, James Thompson, outro influente escritor do Umbra, não havia ido ao encontro.[1]

Dent, que trabalhava para a NAACP[2] e tinha pertencido à organização literária de nacionalismo negro On Guard Committee for Freedom [Comissão para a Liberdade em Alerta], tinha uma linhagem de respeito. Seu pai era Albert W. Dent, presidente da Universidade Dillard, em Nova Orleans, que eu visitaria em 1976 a fim de fazer uma reportagem sobre o Mardi Gras para a revista *Oui*. Albert Dent podia passar por branco. Suas origens eram muito humildes, porém ele chegou aos píncaros da aristocracia negra. Disse-me ter sido a primeira pessoa negra a ser admitida no Krewe of Rex, o máximo em matéria de bailes do Mardi Gras. Na Dillard, ele trouxera Martin Luther King Jr. para o campus. Devido à sua conexão com a elite do movimento dos direitos civis e ao próprio emprego de Tom na NAACP, figuras ilustres como James Meredith, Charlayne Hunter-Gault e o irmão do reverendo King frequentavam a oficina.

Tom Dent também atraiu Jane Logan Poindexter, uma editora da Doubleday que, em 1965, foi responsável por publicar o primeiro livro de não ficção de Hernton, *Sex and Racism in America*. Ela, Brenda Walcott e as falecidas Maryanne Raphael e Amhara Hicks foram quatro dentre as poucas mulheres que frequentaram o Umbra. Naqueles dias, escrever era visto como uma arte masculina, mas algumas mulheres, inclusive a dramaturga Aishah Rahman, superaram o viés patriarcal do movimento. O Lower East Side "fervia nas áreas de arte, política e música",[3] lembrou ela numa *memoir* sobre aquela época escrita para minha revista, a *Konch*.

Nos encontros rotineiros do Umbra, autores liam seus trabalhos e os demais comentavam. Vez por outra, os comentários eram ásperos, baseados em diferenças tanto políticas quanto estéticas. Joe Johnson – que mais tarde se tornou meu sócio na editora Reed, Cannon & Johnson – jamais gostou de minha poesia, enquanto Hernton me encorajava. Numa reunião, as tensões entre os integracionistas e os nacionalistas negros transbordaram, e um soco de William Patterson fez sangrar o nariz de David Henderson.

1. Sobre o Umbra, ver: Tom Dent, "Umbra Days", *in* Kalamu ya Salaam (org.), *New Orleans Griot: The Tom Dent Reader*. Nova Orleans: University of New Orleans Press, 2018; Calvin Hernton, "Umbra: A Personal Recounting". *African American Review*, Baltimore, v. 24, n. 4, inverno de 1993; Kalamu ya Salaam, *The Magic of Juju: An Appreciation of the Black Arts Movement*. Chicago: Third World, 2016; e Lorenzo Thomas, "The Shadow World: New York's Umbra Workshop and the Origins of the Black Arts Movement". *Callaloo*, Baltimore, n. 4, out. 1978. A antologia de poemas de Hernton será publicada pela Wesleyan University Press. [N. do A.]

2. A National Association for the Advancement of Colored People [Associação Nacional para o Progresso de Pessoas de Cor] é uma das mais antigas e influentes instituições que lutam pelos direitos civis de minorias raciais (principalmente de negros) nos Estados Unidos. [N. do T.]

3. Reproduzido em: John H. Bracely, Jr., Sonia Sanchez e James Smethurst (orgs.), *SOS – Calling All Black People: A Black Arts Movement Reader*. Massachusetts: University of Massachusetts Press, 2014. [N. do A.]

À época eu escrevia pretensiosas imitações de Yeats e Pound, porque os escritores negros não faziam parte dos currículos escolares que nos eram impostos. Antes de me mudar para Nova York, em Buffalo, eu tinha lido James Baldwin, não na escola, mas na biblioteca onde trabalhei. Foi por meio do Umbra que conheci poetas negros, inclusive Langston Hughes, que publicou minha poesia e a de minha amiga de Buffalo, Lucille Clifton, cujos trabalhos lhe apresentei. A poeta Gloria Oden teve a paciência de me ouvir ler o primeiro romance que escrevi. Não li muitos romancistas negros até 1968, quando fui convidado a dar um curso de ficção na Universidade da Califórnia em Berkeley. Cheguei como professor visitante. A "visita" durou 35 anos.

Depois das reuniões, os membros do Umbra iam para o Stanley's, um bar e restaurante na Avenue B frequentado por atores, poetas, pintores e músicos. O proprietário, um polonês-americano chamado Stanley Tolkin, tolerava os fregueses, uma mistura de nacionalistas culturais negros e brancos que representavam a contracultura. Ele era um personagem tão fabuloso que o autor polonês Jan Błaszczak escreveu sua biografia, para a qual ainda busca um editor nos Estados Unidos. Eu tinha um pé em cada lado do salão, contribuindo para publicações nacionalistas negras, como *The Cricket* e *The Liberator*, e sendo o cofundador do *East Village Other*, um dos primeiros jornais clandestinos.

Durante certo tempo, as leituras de poesia aconteciam num café chamado Le Metro. O dono, que tinha na vitrine um cartaz anunciando GOLDWATER PARA PRESIDENTE, contratara alguns gângsteres – talvez fossem da Máfia – a fim de vigiar aqueles negros que apareciam para ler poemas. Víamos Goldwater como alguém que aplicava um verniz de dignidade a um movimento racista. Não sei quem iniciou a briga, mas um dos gângsteres deu um soco em Tom. Fui ajudá-lo e também apanhei. Os autores negros saíram. Eu voltava para o apartamento da Second Avenue com minha namorada quando decidi retornar ao café. Deixaram que eu entrasse. Cheguei perto do meu colega, o poeta Walter Lowenfels, que estava fazendo uma leitura, e exigi que ele parasse porque o proprietário era um fascista. Walter parou de ler. Todos saíram, e nunca mais houve leituras no Le Metro. Eu e Paul Blackburn, o poeta de "Black Mountain", passamos o fim de semana escolhendo outro lugar, e o pároco da St. Mark's Church permitiu que fizéssemos nossas leituras lá. Foram essas as raízes do Projeto de Poesia da St. Mark's, que só há alguns anos reconheceu suas origens.

Amiri Baraka, à época LeRoi Jones, morava no 27 da Cooper Square. Seus amigos faziam parte da elite de artistas brancos do Downtown, pintores e poetas como Frank O'Hara, que menciona Baraka no "Personal Poem" (1960):

Caminho na umidade luminosa
passando pela House of Seagram com suas fontes
e gente sentada na pracinha e o prédio
à esquerda que fechou a calçada se

Liberation Soldiers, 1972
Cortesia do artista e da galeria Jenkins Johnson

algum dia eu for um operário de construção
gostaria de ter um capacete de alumínio por favor
e chegar à Moriarty's onde espero por
LeRoi e fico sabendo que ele quer ser um agitador
nos últimos cinco anos minha percentagem de acertos como
batedor de beisebol foi de 0,16, é o que é, e LeRoi chega
e me diz que na noite passada um policial deu 12 cassetadas
em Miles Davis no lado de fora do BIRDLAND.[4]

Devido às conexões de seu mentor, Allen Ginsberg, Baraka foi chamado pelo *New York Herald Tribune* de "rei do East Village", e foi colocado no centro de uma espécie de "culto à personalidade" que, segundo Askia Touré, os críticos brancos sempre impuseram à literatura negra. Um artigo publicado recentemente no *New York Times*, cuja cobertura da cultura negra é muitas vezes descuidada, afirmava que Baraka foi o "pai do Black Arts Movement". Não foi nada disso. Cumpre registrar que ele próprio rejeitou tal papel, dizendo que o BAM foi uma criação coletiva. Ele encorajou jovens escritores, eu inclusive.

Entre 1963 e 1965, a poesia de Baraka começou a mudar sob a influência de Touré, Larry Neal e Yusef Rahman. "Word from the Right Wing", que faz parte de sua coletânea de 1969, *Black Magic: Poetry 1961-1967*, começa com um jogo de *dozens*[5] envolvendo o então presidente:

O presidente Johnson
é um genocida,
e sua mãe
foi uma genocida
e sua mulher
tem uma aparência esquisita, um tipo especial
de tartaruga marinha
e sua avó era
estranha, burra e está morta
se virando na terra vermelha
tão doente quanto um solo seco soprado pelo vento.[6]

Critiquei seus primeiros trabalhos. Ele nunca me perdoou. No entanto, ele também criticou aquele material, que admitiu ter sido influenciado por uma estética branca. "Nota-se a preocupação com morte e suicídio nas primeiras poesias", ele escreveu em *Black Magic* sobre seus dois primeiros

4. *"I walk through the luminous humidity/ passing the House of Seagram with its wet/ and its loungers and the construction to/ the left that closed the sidewalk if/ I ever get to be a construction worker/ I'd like to have a silver hat please/ and get to Moriarty's where I wait for/ LeRoi and hear who wants to be a mover and/ shaker the last five years my batting average/ is. 016, that's that, and LeRoi comes in/ and tells me Miles Davis was clubbed 12/ times last night outside* BIRDLAND *by a cop."* [N. do E.]

5. *Dozens* é um jogo envolvendo dois oponentes que se insultam até que um deles desista. É praticado em comunidades negras dos Estados Unidos diante de uma plateia e, em geral, as ofensas se estendem à mãe e a outros membros da família. [N. do T.]

6. *"President Johnson/ is a mass murderer,/ and his mother,/ was a mass murderer/ and his wife/ is wierd looking, a special breed/ of hawkbill cracker/ and his grandmother's/ wierd dumb and dead/ turning in the red earth/ sick as dry blown soil."* [N. do E.]

livros, *Preface to a Twenty Volume Suicide Note* (1961) e *The Dead Lecturer* (1964).

Sempre autêntico, invadido pela pulsão de morte dessa sociedade distorcida, o trabalho era uma nuvem de abstração e descontinuidade, simplesmente coisa de branco. Influência europeia etc., assim como o conceito de desesperança e desespero das mentes mortas na moralidade moribunda da Europa.

—

Apesar de ir toda semana às reuniões do Umbra, nunca encontrei Baraka, que mais tarde escreveria que a oficina foi o berço do Movimento da Arte Negra em Nova York. Se a poesia posteriormente reunida em *Dawnsong!*, coletânea de Touré, foi o manifesto do movimento, defendendo como fontes de inspiração poética reinos africanos do passado, especialmente o Egito, o prólogo da antologia *Black Fire*[7] – editada em 1968 por Baraka e Neal, o filósofo do movimento – declarou seus propósitos. Ali Neal defendeu uma literatura independente, livre de patronos brancos. "A chamada Renascença do Harlem foi, na sua maior parte, uma era de fantasia para todos os autores negros e seus amigos brancos", ele escreveu. "Para os membros da comunidade, nem existiu. Era algo à parte."

7. *Dawnsong!: The Epic Memory of Askia Touré*. Chicago: Third World, 2000; *Black Fire: An Anthology of Afro-American Writing*. Nova York: William Morrow, 1968. [N. do A.]

Enquanto muitos escritores da Renascença do Harlem (com exceções, como Langston Hughes e Zora Neale Hurston) utilizaram uma dicção rebuscada, e os romancistas da década de 1950 tiveram Hemingway, Faulkner e Henry James como modelos, *Black Fire* repudiou o que o poeta Etheridge Knight chamou de "estética branca" ao favorecer o inglês falado pelos negros. Ecoando os escritores da Renascença do Harlem que se intitulavam "os Novos Negros", Neal falou em nome da "Nova Espécie".

Neal escreveu que as pessoas viam James Baldwin como "outra forma de entretenimento". Tendo dado aulas sobre os livros de Baldwin, posso garantir que a maioria de seus fãs não leu sua obra e apenas o conhece com base nos comentários e debates na televisão. Baldwin leva vantagem sobre seus atuais imitadores porque trabalhou no Actors Studio. Foi uma experiência tão ruim que ele satirizou Lee Strasberg em seu romance *Tell Me How Long the Train's Been Gone* (1968) – insulto que fez com que a "Família" de Nova York o condenasse ao ostracismo. Depois que Richard Wright usou sua influência para conseguir uma bolsa de estudos para Baldwin, ele o criticou sob a direção de William Phillips, coeditor da *Partisan Review*. (Antistalinista, Phillips discordava da esquerda de Chicago, de inclinações proletárias, que Wright representava.) Em seu famoso encontro com Wright em Paris, relatado por Chester Himes, Baldwin disse que "os filhos precisam matar seus pais". Esse tipo de parricídio e matricídio literários ainda parece estar ocorrendo em Nova York.

A Nova Espécie também era competitiva, mas tínhamos uma escolha que a geração anterior não teve. Graças ao progresso tecnológico, o Umbra nos ensinou a imprimir livros e editar antologias. Durante a primeira fase de sua existência, a oficina publicou dois exemplares de uma revista em que celebridades como Julian Bond e Robert F. Williams apareciam ao lado de escritores jovens e desconhecidos, como Thomas, Touré, Henderson, Hernton, Johnson, Dent, Baraka, Kaufman, LeRoy McLucas, Lloyd Addison (que batizou o Umbra), Conrad Kent Rivers, Jayne Cortez, Nikki Giovanni, Tom Weatherly, Jay Wright e eu.

Esses escritores foram tratados com desdém pelos críticos brancos. Resenhando *Destinations* – álbum de poesia declamada que incluía Hernton, Blackburn, Jerome Badanes e o membro do Umbra N. H. Pritchard –, Robert Mazzocco escreveu no *New York Review of Books* que Pritchard "tem uma ilusão vocacional grande o suficiente para encher o Grand Canyon". Pritchard, um poeta então com 20 e poucos anos, me apresentou à minha mulher, a coreógrafa, diretora e autora Carla Blank. Nós todos colaboramos em 1965 para o *show* multimídia *Black*, dirigido pelo falecido Aldo Tambellini, que foi exibido inicialmente na International House da Universidade Columbia, e depois no Bridge Theater da St. Marks Place. Atualmente, devido a seus vínculos com os poetas da Language, a redescoberta de Pritchard está a pleno vapor.

Peças teatrais e poesia eram as formas básicas de expressão naquela época. Em agosto de 2022, o poeta A. B. Spellman me escreveu: "O melhor que o Movimento gerou irá se qualificar como obras-primas que durarão por gerações". Ele citou Baraka, Sonia Sanchez e Amus Mor, "talvez o maior declamador de poesia que eu já vi". Segundo ele, os poetas do Movimento "foram os pioneiros da poesia declamada contemporânea".

Os poetas do BAM introduziam relevantes elementos de performance em seus trabalhos: mnemônica, cadências rítmicas e às vezes movimento, ensaiando com bandas de *jazz* para as apresentações que faziam em conjunto. Sim, eu sei que eles não eram os únicos a fazer isso, e não desmereceria grandes artistas como Laurie Anderson, mas estou convencido de que os poetas do BAM foram pioneiros no uso desses recursos.

O acadêmico alemão Werner Sollors, de Harvard, me disse que lembrava ter assistido a "um espetáculo particularmente intenso de leitura de poesia na Riverside Church durante a década de 1970". Era uma época em que, segundo ele,

> a acentuada agitação política e as fortes articulações do orgulho negro encontraram expressão em formas modernistas, em idiomas surrealistas, expressionistas e inspirados nos *beatniks*. Havia muitas novas publicações, algumas sob a forma de panfletos, mas os textos pareciam ser menos importantes que a performance, predominando um sentimento de liberdade.

Spellman também enfatizou as contribuições do movimento ao *jazz* – "uma fundamental expressão do BAM" – e às artes visuais. William White foi o ilustrador oficial do BAM. Ele e eu fomos funcionários da Comissão de Transporte dos Três Estados, que realizava um levantamento do tráfego que chegava a Nova York. Lá trabalhava igualmente Walter Bowe, mais tarde preso devido a uma conspiração para explodir a Estátua da Liberdade. Outros funcionários diziam que ele pertencia ao Mossad. No entanto, era um lugar tranquilo para se trabalhar. As pessoas eram educadas.

O pintor Joe Overstreet teve a ideia de levar músicos como Albert Ayler e Sun Ra para tocar no Harlem e adjacências em caminhões abertos, onde também seriam apresentadas peças de dramaturgos do BAM. Outros pintores negros dependiam dos galeristas brancos para serem reconhecidos, porém, em 1974, Joe Overstreet criou seus próprios espaços de exposição, a Kenkeleba House e a The Wilmer Jennings Gallery, na East Second Street. Corrine Jennings continua a administrá-las depois da morte do marido. *HooDoo Mandala*, quadro abstrato de Overstreet de 1970 foi, como Jeff Chang assinalou, uma fonte de inspiração para o "Neo-HooDoo Manifesto", que publiquei no mesmo ano. O manifesto era um resumo de minha pesquisa depois que descobri que a religião africana sobreviveu ao tráfico de escravos. Apesar de forçada a viver na clandestinidade nos Estados Unidos, ela é tão proeminente em Cuba, no Brasil e no Haiti que compete com a Igreja Católica.

—

A colaboração entre artistas negros e brancos começou a se desfazer depois de episódios como a explosão da igreja batista da 16th Street de Birmingham, no Alabama, que matou quatro garotas negras, e o assassinato de Malcolm X em 1965. Os pintores e músicos continuaram em Downtown, mas muitos escritores negros abandonaram o East Village. Bill Amidon descreveu o fim da cena da Avenue B em "Where Have All the Hipsters Gone?", ensaio clássico de 1972 para o *Village Voice*.

Em 1965, depois de uma rumorosa separação de sua mulher judia, Hettie Jones, Baraka se mudou para o Harlem. Lá, ele e outros fundaram o Black Arts Repertory Theater/School (BARTS), onde a estética negra podia ser posta em prática no teatro, na poesia, na pintura e na música. Baraka passou a criticar ferozmente os que não seguiram seu exemplo e, ao condenar o Lower East Side integrado, provocou um racha entre os artistas de Uptown e Downtown. Hernton e eu participamos como voluntários de eventos que levantavam fundos para a escola, mas Baraka escreveu em *The Autobiography of LeRoi Jones/Amiri Baraka* – livro brilhante de análise introspectiva que talvez seja o ponto alto de sua obra –, que nos tinha desejado mal por termos continuado a morar no Lower East Side.[8] Ele e seus companheiros no BARTS se opunham à "mistura racial" e ameaçavam pessoas que mantinham relações inter-raciais – embora Hettie Jones conte em suas memórias que Baraka estimulou um arranjo poliamoroso que envolvia ela e a namorada dele, Vashti.

8. Nova York: Freundlich, 1984. [N. do A.]

Três antigos membros do Umbra se uniram a Baraka no Harlem: Askia Touré e William e Charles Patterson. Eu tinha dividido um apartamento com os três na East Fifth Street, onde paguei o aluguel por algum tempo. Mudei-me porque supostamente devíamos nos revezar no pagamento, e isso não ocorreu. Como ouvi um bocado de conversas sobre o Black Arts no apartamento, não me surpreendi quando eles se mudaram para Uptown. Em sua autobiografia, Baraka afirma que os irmãos Patterson – a que chama Hackensacks – destruíram o experimento do Black Arts ao isolar, às vezes violentamente, figuras de relevo na comunidade do Harlem. "Havia mais gente querendo dar um pontapé na bunda dos irmãos Hackensack", escreveu, "do que você poderia matar com uma rajada de metralhadora sem usar mais munição."

O FBI vigiava o Black Arts Repertory desde a fase de levantamento de verbas, quando meu nome aparece, até seu colapso, em março de 1966, devido a disputas por vezes violentas. "Os espiões do FBI frequentaram as aulas de educação do BARTS no verão, participando do curso pioneiro de Harold Cruse sobre a história afro-norte-americana", escreveu o professor William Maxwell. "O próprio Baraka acreditava que o rompimento precoce do BARTS foi causado em parte por interferência do FBI." Mas não foi só o FBI e as divisões internas que fizeram Baraka deixar o Harlem. Gus Newport, ex-prefeito de Berkeley, me disse que Baraka também se incompatibilizou com Ellsworth Raymond "Bumpy" Johnson, "o poderoso chefão do Harlem", ao pedir que um dos amigos do arquicriminoso demitisse de seu café uma garçonete branca. De acordo com Newport, Baraka foi embora do Harlem no dia seguinte.

BAND
TOGETHER
BLACK PEOPLE

Boss Couple, 1970
Cortesia do artista e da galeria Jenkins Johnson

O BARTS ficou numa situação caótica. Em março de 1966, a polícia seguiu Charles Patterson até o teatro depois que ele atingiu Neal com um tiro na perna. Ele reagiu e trocou tiros com os agentes. Correm rumores de que policiais negros impediram que ele fosse morto.

—

Lá pelo fim da década de 1960, alguns dos poetas do Umbra se dispersaram. Lorenzo Thomas fixou-se em Houston. Tom Dent voltou para Nova Orleans e se tornou importante membro do Free Southern Theater. Touré também rumou para o sul, onde participou da formulação, em 1966, do documento de posição do SNCC[9] sobre o Black Power. Depois de viver por um tempo em Londres, Hernton destacou-se como professor no Oberlin College, onde seus alunos o apelidaram de Sócrates. Ele escreveu um romance surrealista sobre a temporada londrina, intitulado *Scarecrow* (1974), cuja tiragem a Doubleday não conseguiu vender inteiramente. Comprei os exemplares restantes e os vendi ao longo de dez anos.

9. O Student Nonviolent Coordinating Committee [Comitê Estudantil de Coordenação de Ações Não Violentas] era composto basicamente de estudantes universitários negros que organizavam manifestações pacíficas de ação direta. [N. do T.]

Embora a escola tivesse durado menos de um ano, a ideia da arte populista negra havia se difundido. "No final de 1965", Baraka escreveu mais tarde, "iniciativas semelhantes surgiam em todo o país." Haki Madhubuti, cuja Third World Press comemorou seu 55º aniversário em 2022, escreveu que, "se a Costa Leste representou o coração e a alma do Black Arts Movement", o Meio-Oeste foi seu "centro intelectual". Ele chama a atenção em particular para o *Negro Digest/Black World*, publicado em Chicago por Hoyt W. Fuller, que também lançou "escritores negros tradicionais e as novas vozes poéticas do BAM". Em Nova Orleans, a oficina BLKARTSOUTH de Kalamu ya Salaam e Tom Dent publicou um jornal, *Nkombo*, e organizou espetáculos teatrais em toda a região.

Utilizando o modelo do Black Arts, os Black Roots Festivals de Quincy Troupe, realizados em Nova York, atraíram grandes plateias. O BAM St. Louis, do poeta e professor Eugene Redmond, apoiou a formação de três gerações de escritores. Em seu importante livro *Drumvoices*, Redmond mostrou que esse entusiasmo pela literatura negra brotou em todo o país durante aqueles anos, ligado ou não ao Black Arts.[10] Redmond tem promovido a obra do poeta e romancista Henry Dumas, morto por um policial nova-iorquino em 1968.

10. *Drumvoices: The Mission of Afro-American Poetry, A Critical History*. Illinois: Anchor/Doubleday, 1976. [N. do A.]

Eu fui para o oeste, onde me tornei o editor de uma revista multicultural, *Yardbird Reader*, criei a Before Columbus Foundation, em 1976, e o PEN Oakland, em 1989, ambas coalizões de escritores negros, indígenas, latinos, asiático-americanos, judeus, irlandeses e ítalo-americanos. (Nossos American Book Awards são os únicos prêmios relevantes recebidos em vida por Audre Lorde, Andrea Dworkin e Paule Marshall.) Em 1973, fundei uma pequena editora com Joe Johnson e Steve Cannon, ambos ex-membros do Umbra.

Se Baraka era o rei do East Village, o falecido Steve Cannon se tornou seu imperador. Três gerações de escritores passaram por suas oficinas e galerias até 1989, quando morreu aos 84 anos. Cannon e a equipe de seu projeto, A Gathering of the Tribes, publicavam uma revista, *Tribes*, e abriram uma galeria de arte generosamente financiada pelo artista David Hammons e outros patrocinadores. Quando eu frequentava a casa Steve, de onde ele dirigia toda a operação, nunca pensei que a sala de seu apartamento seria recriada numa instalação da Whitney Biennial de 2022.

Na *Yardbird Reader*, publicamos os trabalhos de muitos escritores hoje parte do cânone, como Ntozake Shange, Thulani Davis e Jessica Hagedorn, que moravam em São Francisco até se mudarem para Nova York e ficarem famosas. Elas se referiam a si próprias como "As Irmãs Cetim". Publicado na Yardbird em 1975, um trecho do romance *Sassafrass, Cypress & Indigo* (1982) tem todas as características que associamos à sua obra: a variedade dos recursos de diagramação e a incursão na *avant-garde* negra, que inclui nomes de músicos, dançarinos e políticos. O trecho termina com receitas culinárias. No poema "Parable", publicado na *Yardbird* 5, Davis escreve: "A esperteza das mulheres feridas/ pode agarrá-lo à noite/ e te levar aonde você não espera".

A década de 1970 viu a ascensão de uma geração mais nova de escritoras negras: Shange, Davis, Toni Cade Bambara, Mari Evans, Alice Randall, Jill Nelson, Toni Morrison, Carolyn Rodgers e Mae Jackson.[11] (Antes delas vieram Margaret Walker, Louise Meriwether, Gwendolyn Brooks, Gloria Oden e Sarah Webster Fabio, que foi chamada de "mãe dos Black Studies".) Os machistas que gastaram volumes criticando *The Man*[12] e celebrando antigas rainhas africanas foram atacados por se parecerem eles próprios com as figuras que condenavam. Os homens do Black Arts não estavam sozinhos em sua atitude

11. Ver: Cheryl Clark, *After Mecca: Women Poets and the Black Arts Movement*. New Jersey: Rutgers University Press, 2004. [N. do A.]

12. "*The Man*" é uma gíria que se refere a um indivíduo ou grupo que exerce algum poder opressivo ou ameaçador, tal como funcionários do governo, patrões ou policiais. [N. do T.]

com relação às mulheres (Lynnette Lounsbury escreveu que os homens da geração *beat* tratavam as mulheres "como figuras recortadas de papelão"), pois tinha existido misoginia no BARTS. Sonia Sanchez me disse durante uma entrevista recente que ela e duas outras mulheres, ao prepararem um plano de aulas, foram ameaçadas por dois homens que queriam "ensiná-las a ser revolucionárias de verdade".

Críticos como Davis e Henry Louis Gates Jr. saudaram a ascensão dessas escritoras negras. Outros viram tal fenômeno como uma oportunidade para provocar divisões entre elas e homens negros contemporâneos delas. Homens e mulheres de outros grupos étnicos se tornaram feministas negros honorários, juntando-se ao pequeno grupo liderado por Alice Walker num ataque aos homens negros. Mas nós éramos camaradas no campo literário. Em 1983, Baraka e sua mulher, a poeta Amina Baraka, coeditaram *Confirmation: An Anthology of African American Women*. Como ele escreveu na introdução ao livro, o objetivo do casal era chamar a atenção para "o pouco destaque das mulheres negras no mundo da literatura – e, ao mesmo tempo, fazer alguma coisa para mudar essa situação". "Como é possível viver sob o domínio da opressão, do racismo e da supremacia branca neste país? Como manter a sanidade e o equilíbrio mentais em tal mundo, e como isso é ainda mais complicado por alguém ser não apenas negro, mas mulher?"

—

Estou acostumado a viajar para o exterior, como membro de delegações de professores e escritores norte-americanos, e observo a perplexidade geral quando meus colegas se defrontam com europeus que sabem mais sobre o BAM do que eles próprios. Um desses é Ugo Rubeo, professor de literatura norte-americana na Universidade de Roma. Assisti a uma aula dele em 2016 enquanto negociava com James Demby a publicação de *King Comus*, o último romance escrito por seu pai, William Demby, que morreu em 2013 sem conseguir um editor nos Estados Unidos. Enquanto os políticos norte-americanos envergonham o país ao denunciar programas de estudos negros (o atual governador da Virginia se elegeu fazendo campanha contra o romance *Amada*, de Toni Morrison), a literatura negra é ensinada em algumas das mais antigas universidades da Europa, da África e da China. "Ouvi falar pela primeira vez sobre o Black Arts Movement no início da década de 1970, lendo os ensaios críticos de Baraka e os artigos de Larry Neal", me contou Rubeo.

Em décadas recentes, fiz amizade com diversos estudiosos chineses que pesquisam o Black Arts, incluindo Liya Wang, Yanyu Zeng e a falecida Yuqing Lin, que traduziu meu romance *Mumbo Jumbo* para o mandarim e persuadiu o governo de seu país a financiar a pesquisa que fazia sobre *Japanese by Spring*,

Compared to What: I Am Better Than Those Motherfuckers and They Know It, 1969
Cortesia do artista e da galeria Jenkins Johnson

outro de meus romances. Viajei para a China em 2012 e 2015, visitando universidades em Beijing e Xiangtan, na província de Hunan, onde Carla Blank dirigiu minha peça *Mother Hubbard* com um elenco composto inteiramente de chineses.

Em 1994, participei do National Black Arts Festival em Atlanta, Geórgia. As rixas da década de 1960 perduravam, embora Baraka houvesse abandonado o "racismo" em favor do comunismo inter-racial. Ele se queixou de que o Black Arts havia sido cooptado: "Mesmo neste festival", insistiu, "os Neals, Dumases, Sanchezes, Tourés e Madhabutis são amontoados numa única sessão enquanto as forças da oposição [...] têm total liberdade de se apropriar daquilo que dolorosamente lutamos para fazer existir!" Apesar de o movimento Black Arts de Nova York ter nascido no Umbra, Baraka e Touré boicotaram o debate sobre a oficina. Uma mulher negra ficou me infernizando com ataques sobre a mistura de raças. No entanto, a partir do início dos anos 2000, alguns dos puristas raciais do festival retomaram contato com seus amigos brancos. Um deles disse que chorou ao ler o obituário de certo amigo branco em novembro de 2020.

Só em 2014 surgiu um novo movimento de artes negras. O renascimento ocorreu não em uma das capitais literárias do país, mas numa cidadezinha conhecida pelo vinho Gallo – Merced, Califórnia. Foi lançado por estudantes, inclusive brancos, cuja influência na criação dos estudos sobre a negritude nunca foi reconhecida. (O cofundador dos Panteras Negras, Bobby Seale, me contou um dia que o Merritt College em Oakland nunca teria criado um programa de estudos sobre a negritude caso os estudantes brancos não houvessem ameaçado paralisar a universidade.) A associação de alunos da Universidade da Califórnia em Merced levantou 40 mil dólares para realizar uma conferência livre de brigas, ódios, hipocrisias, calúnias, racismo, sexismo, homofobia e violência que marcaram o BAM na década de 1960. Essa conferência, assim como uma outra realizada na Universidade Dillard, foi organizada por Kim McMillon, meu colaborador por mais de três décadas.

Em 2022, McMillon e um editor-assistente, Kofi Antwi, publicaram o primeiro volume de uma antologia, *Black Fire: This Time*, que inclui os pioneiros do BAM e novas vozes.[13] Tal como o livro *The New Negro*, de Alain Locke, na década de 1920, o *Black Fire* de Neal e Baraka era um relato sobre o estado da literatura negra à época da publicação. Neal e Baraka ampliaram

13. Nova York: Willow, 2022. [N. do A.]

Motherfuckers
wadsworth A Jarrell

o leque de talentos, mas a maioria dos que contribuíram eram homens – um passo atrás em relação à proporção de mulheres em *The New Negro* e na *Negro Anthology* (1934), de Nancy Cunard. O livro de McMillon e Antwi, para o qual escrevi o prefácio, é mais abrangente do que *Black Fire* e corrige parte da pesada intolerância daquela antologia. Mostra que o novo século pode vir a ser uma idade de ouro para a literatura negra. Talvez seja essa a razão pela qual o livro conquistou o apoio de Henry Louis Gates Jr., que também ajudou na realização da conferência na Dillard.

Em recente ensaio para a *Public Books*, Howard Rambsy II e Kenton Rambsy usaram estatísticas para mostrar como a *New York Times Book Review* tem o hábito de promover o que Locke chamou de "elite culta", ignorando um amplo espectro de talento negro. (Infelizmente, autores de origem latina, asiática ou indígena quase não são mencionados nas resenhas.) A antologia de McMillon revela quão vasto é esse manancial de talento. E, apesar do sucesso de alguns homens e mulheres negros que escrevem, a maioria dos autores negros de ambos os sexos tem dificuldade em se sustentar.

Qual será o legado do Black Arts Movement? Para Spellman, foi graças ao BAM "que tantos artistas afro-americanos mostraram o desejo de construir suas próprias estruturas em torno da obra que realizam". E continuou:

> Talvez o maior legado do BAM seja a atitude. Assim como outros ativistas daquela época, os artistas negros trabalharam duro para instilar um poderoso senso de respeito próprio nas comunidades negras em ascensão, mostrando que somos belos, fortes e capazes de criar coisas que nossos antepassados teriam pensado ser milagrosas. Que brilhamos a ponto de iluminar o ambiente que nos cerca. Que não necessitamos tolerar forças inibidoras. Sim, diga isso bem alto, [...] como nos ensina a canção.

Artista de múltipla expressão, **Ishmael Reed** (1938) é autor de volumes de poesia, narrativa, ensaio e teatro, além de editor, compositor e pianista de *jazz*. *Mumbo Jumbo*, romance de 1972, foi finalista do National Book Awards e está traduzido em diversas línguas. Inédito no Brasil, Reed foi um dos artífices do Black Arts Movement, como rememora neste ensaio publicado em janeiro de 2023 pela *New York Review of Books*.
Tradução de **Jorio Dauster**

Nascido no estado da Geórgia, nos Estados Unidos, o artista visual **Wadsworth Jarrell** (1929) é um dos integrantes históricos do Black Arts Movement. Em 1968, em Chicago, foi um dos fundadores do coletivo de jovens artistas negros AfriCOBRA, sigla em inglês para Comuna Africana de Artistas Ruins Relevantes. Com uma estética vibrante focada em imagens positivas da luta e do cotidiano da comunidade negra, o grupo influenciou gerações de artistas nas décadas seguintes. Em 2020, Jarrel publicou suas memórias desse período no livro *AfriCOBRA: Experimental Art toward a School of Thought*, inédito no Brasil.

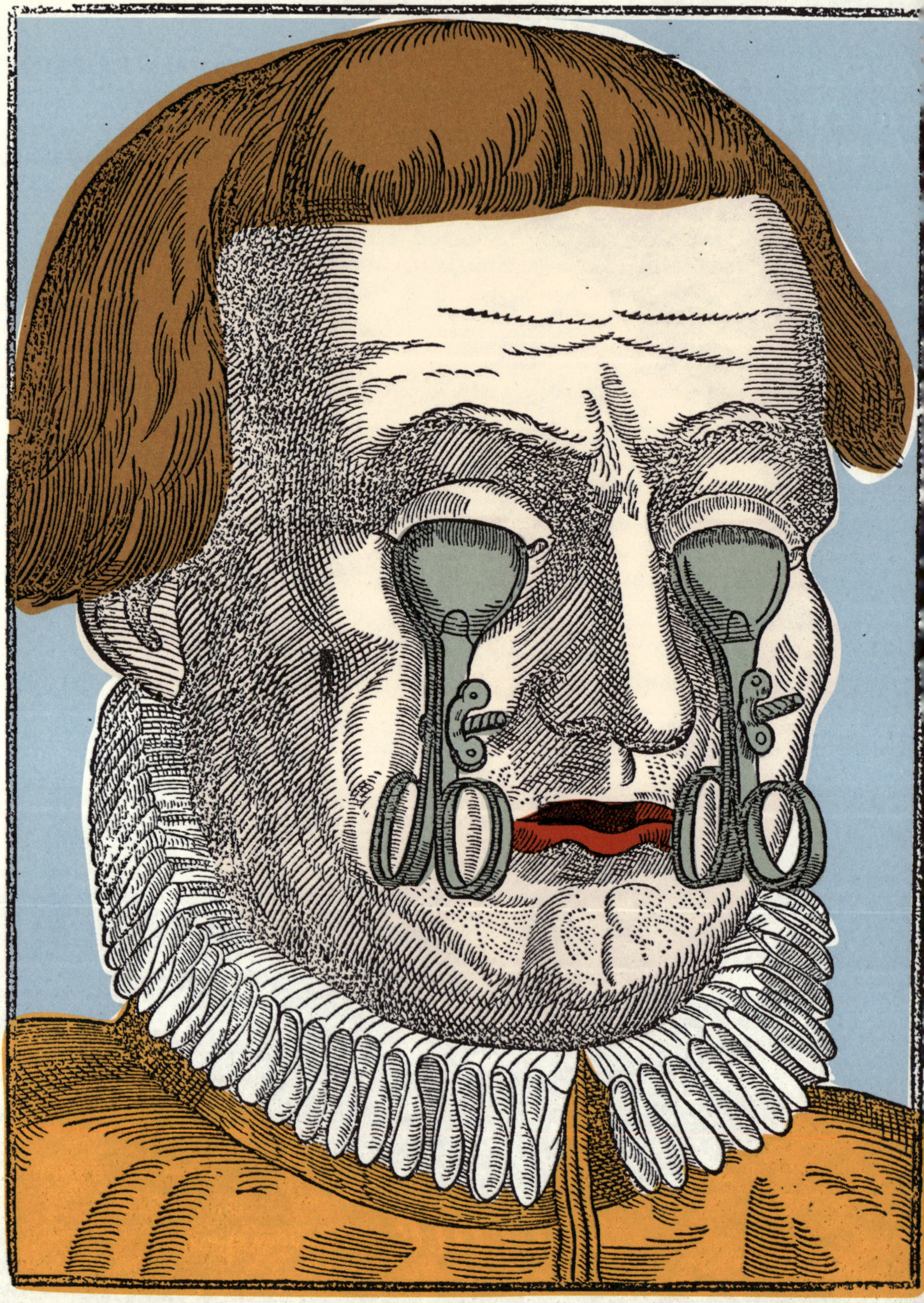

Hipocondria moral

Natalia Carrillo
Pau Luque

Da peculiar combinação de decência e narcisismo nasce um dos fenômenos que melhor definem as classes médias progressistas ocidentais a partir da segunda metade do século 20

Para Mara, natürlich

Onde todos são culpados, ninguém é.
HANNAH ARENDT

ESCOMBROS

Ensaios são escombros. Não há ensaios bons. Nem ruins. Há apenas escombros.

A marca distintiva do ensaio, se é que ela existe, não reside em sua veracidade, em seu potencial de provocar controvérsia, e muito menos em sua originalidade, em sua suposta habilidade para descobrir respostas, em sua mais reconhecida capacidade de formular perguntas ou no fato, absolutamente desprezível e ridículo em se tratando de ensaio, de ter propósitos edificantes.

Não há ensaio que não desmorone com a artilharia dos críticos ou a passagem impiedosa do tempo. Se resiste a isso, não é ensaio, é outra coisa. O ensaio é implausível, instável e tem

Georg Bartisch
Xilogravuras do livro *Ophthalmodouleia* (1583), um atlas de doenças oculares

que desabar como um prédio abalado por um terremoto ou pelos golpes da bola de demolição que, para evitar o risco de contaminação, acaba derrubando o prédio todo.

O que faz do ensaio um ensaio é que, depois do estrondo e da nuvem de poeira causados por seu desabamento, vislumbram-se belas ruínas. É só a partir do entulho vistoso e da sucata reluzente que pode surgir um novo ensaio, cujo destino feliz e inevitável seja outro desabamento. Só é possível reconstruir a partir do belo, não do verdadeiro.

Portanto, se considerarem este ensaio convincente – meu Deus! – ou certeiro – Deus meu! –, é porque não é um ensaio, é uma encíclica, um *paper* acadêmico, a bula de um betabloqueador, um verbete de enciclopédia ou qualquer outra coisa escrita para dizer isso-é-verdade e aquilo-é-mentira. Mas se, ao contrário, este texto parecer uma insensatez interessante, ou causar repugnância e aflição, e ao mesmo tempo fizer pensar por alguns momentos fugazes, é porque alguém já pode começar a escrever outro ensaio a partir dos restos que este deixar.

Amigas e amigos, não se iludam! O que importa para escrever é o mesmo que importa para viver: deixar belas ruínas, embelezar o mundo com uns montinhos a mais de escombros.

O CASO BOUDIN

Outubro de 1981. Arredores de Nova York. Seis militantes do grupo revolucionário Exército Negro de Libertação – o braço armado dos Panteras Negras – roubam 1,6 milhão de dólares de um carro-forte. No tiroteio durante o assalto e na fuga posterior, um segurança e dois policiais morrem.

Apoiando essa ação, estão quatro integrantes brancos de uma facção da Weather Underground (grupo armado muito ativo no final dos anos 1960 e início dos 1970) chamada May 19th Communist Organization. Essas quatro pessoas não estão armadas, apenas dirigem os veículos nos quais seus camaradas afro-americanos vão fugir. Eles são presos e, por fim, julgados. Tanto os membros do Exército Negro de Libertação quanto os do May 19th recebem penas de prisão muito severas.

Vinte anos depois, Kathy Boudin, militante da May 19th envolvida na ação de outubro de 1981, filha de uma rica família de advogados de esquerda de Nova York, disse à jornalista Elizabeth Kolbert[1] que os detalhes da operação não lhe

1. Elizabeth Kolbert, "The Prisoner", *The New Yorker*, 16.07.2001.

haviam sido informados: ela só fora avisada no dia anterior. É assim que Boudin relembra, na prisão, o episódio:

> Minha forma de apoiar a luta é dizer que não tenho direito de saber de nada, que não tenho direito de ter uma discussão política, porque essa não é minha luta. Claro que não tenho direito de criticar nada. Quanto menos eu soubesse, e quanto mais me anulasse como ser, melhor: mais comprometida e mais ética eu seria.

Boudin só podia enxergar sua contribuição de forma pura, irrepreensível. E isso significava se tornar temporariamente um robô sem autonomia. Qualquer intervenção sua, qualquer conversa com os camaradas do Black Liberation Army, mesmo um diálogo sobre os objetivos do grupo ou os meios estratégicos para atingir esses objetivos, a teria maculado.

Boudin considerava que sua vida, como diz Hari Kunzru,[2] estava em um estado permanente de inocência culpada por ser quem era. Então, a forma de minimizar sua culpa era minimizar sua vida: abrir mão de seu livre-arbítrio, tornar-se alguém que só recebe e executa ordens, um ser heterônomo que não quer saber, alguém que não quer raciocinar nem testar outras emoções ou sentimentos que não sejam os da culpa, uma pessoa que se entrega por algum tempo à autonomia e à vontade dos outros. Renunciar à própria autonomia é o que Boudin concebia como contribuição irrepreensível a essa causa política.

Diante do problema político e histórico que é, a seu ver, sua própria existência – o fato de ser uma mulher branca e privilegiada do Greenwich Village –, Boudin encontra uma solução aparentemente impoluta, perfeita e harmoniosa. Ela inverte os papéis históricos por uma breve fração de tempo e se subordina momentaneamente aos seus camaradas afro-americanos.

Trata-se, contudo, de uma solução que anula um dos maiores privilégios: a possibilidade de escolher livremente. Ao contrário dos afro-americanos, cuja condição social subserviente é resultado de uma opressão branca quase impossível de combater, Boudin opta por se submeter ao Black Liberation Army. Nada revela mais privilégio do que, sem nenhum tipo de coação, se prestar a ser subserviente por um tempinho, nada exala mais liberdade do que abrir mão da própria liberdade por um dia, nada sugere um lugar tão privilegiado no mundo como a capacidade de resolver, sem interferência

2. Hari Kunzru, "The Wages of Whiteness", *The New York Review of Books*, 24.09.2020.

alheia, como queremos destruir nossa vida. De modo paradoxal, e ao contrário do que pretendia Boudin, a decisão de se anular é a mais suja, a mais imoral e a mais impura de todas as escolhas possíveis. Com certeza, essa subordinação revelaria seu privilégio mesmo que não tivesse prazo de validade preestabelecido, mas nesse caso pelo menos demonstraria um tipo de compromisso que ela não poderia decidir unilateralmente quando cancelar. Ao circunscrever sua subordinação a um período muito curto, Boudin se torna uma estrela fugaz – mais fugaz do que estrela, na verdade – na longa noite da luta pela emancipação dos afro-americanos.

Mas por que Boudin tomou essa decisão? Por que ela acha que está fazendo a coisa certa ao se anular como ser autônomo e se tornar cúmplice de uma ação armada cuja natureza e objetivo desconhece?

A resposta só pode ser: porque Boudin é uma pessoa decente e nobre. Sua própria biografia revela isso. Enquanto esteve na prisão, fez mestrado em educação e alfabetização de adultos, escreveu em parceria um livro para mulheres presas com filhos em abrigos, ajudou a criar um programa de apoio para presidiários com aids, usado durante décadas em todo o sistema prisional americano, publicou artigos na *Harvard Educational Review* e ganhou um prêmio PEN em 1999 por sua poesia (não é óbvio que o ofício de poeta transforme alguém numa pessoa nobre, mas *ja ens entenem*).[3] Em sua reportagem da *New Yorker*, Kolbert relata as opiniões de algumas de suas ex-companheiras de prisão. Praticamente todas falam dela como uma pessoa generosa, amável, inteligente e solidária. Boudin, insistimos, era uma pessoa nobre e decente.

Mas também era uma pessoa muito narcisista.

Da peculiar combinação de decência e narcisismo nasce um dos fenômenos que melhor definem as classes médias progressistas ocidentais da segunda metade do século 20: a hipocondria moral. Trata-se da ideia segundo a qual, se nos sentimos culpados pelos males e doenças do mundo social e político, é porque eles de fato são culpa nossa, embora muitas vezes não esteja nada claro o que isso significa. Em poucas palavras, hipocondria moral é acreditar que sentir culpa nos torna culpados. Essa forma de falsa consciência revela um narcisismo patológico desconcertante, que mescla uma presença excessiva do ego e uma bússola moral bem imantada.

3. Expressão catalã: "Já nos entendemos". [N. do E.]

Kathy Boudin é um exemplo extremo de hipocondria moral, que pode ter consequências letais. Contudo, no coração das classes médias ocidentais, mais ainda entre as classes médias progressistas, parecem circular versões mais pesadas da curiosa dupla formada pelo narcisismo e a decência. A hipocondria moral é um fenômeno tão pequeno-burguês quanto os bons modos à mesa, o uso arbitrário de benzodiazepínicos ou os telefonemas à polícia às duas da madrugada porque bêbados estão cantando na praça diante de casa.

NARCISISMO E HIPOCONDRIA

Em *O coração do homem* (1964), Erich Fromm dedica um capítulo ao narcisismo, cuja descoberta, ao menos como fenômeno psíquico digno de teorização, ele atribui a Freud. Um exemplo relativamente interessante de narcisismo é o da hipocondria fisiológica. Uma pessoa hipocondríaca é alguém que interpreta qualquer mudança percebida ou imaginada em seu corpo como um sintoma de doença (em geral, uma doença grave – do contrário, qual a graça de ser hipocondríaco?).

O conceito de narcisismo nos permite explicar uma série de aspectos psíquicos e é uma das maiores contribuições da psicanálise. O conceito é usado em primeiro lugar para descrever como as crianças pequenas são inseridas no mundo antes que possam entender que não são o mundo – e sim que estão nele. Os bebês não percebem a fronteira entre eles mesmos e seu entorno. Freud chamou esse estado inicial, em que o bebê pensa que é o mundo, de narcisismo primário. À medida que desenvolve a capacidade de controlar seu corpo, mas não outros objetos, o bebê começa um lento processo, que dura vários anos, em que esse narcisismo é golpeado por frustrações constantes, até que a menina ou o menino consiga abandonar o narcisismo primário e aprenda a se relacionar com o outro como objeto externo. Desse narcisismo primário, nós conservamos, em alguma medida, a sensação de sermos o centro de tudo. Dependendo do quanto conservaram desse narcisismo, as pessoas desenvolvem, em maior ou menor grau, certas capacidades. A capacidade de ser empático, por exemplo, está bem distante do narcisismo, pois exige a compreensão de que existe um objeto (outra pessoa) que tem uma vida psíquica independente da nossa e sente e percebe coisas diferentes das que sentimos e percebemos.

Mas não podemos escapar por completo do fato de que percebemos o mundo a partir de determinado lugar. Temos sempre uma perspectiva, e tendemos a apreciar o que é único e especial nessa perspectiva. Podemos dizer que nos apaixonamos por nossa perspectiva *porque é nossa*. Preferimos irracionalmente nossa miséria à do outro: nossos próprios peidos não nos desagradam, mas detestamos os dos outros – como bem sabia o escritor Rafael Sánchez Ferlosio quando descreveu o nacionalismo como "a moral do peido". Agir como se nosso ponto de vista fosse especial, desejável, é uma característica que pode ser entendida como remanescente do narcisismo primário.

Às vezes, percebemos uma cor e depois reconhecemos que a luz nos fez vê-la de um tom diferente. Outras vezes, sentimos que alguém é arrogante, mas isso pode ser apenas uma projeção de nossa vida psíquica. Também pode ser o caso de alguns doentes mentais graves. Para uma pessoa com transtorno paranoide, a sensação de estar sendo perseguida indica que de fato há alguém atrás dela. Não concebe a possibilidade de que possa se sentir perseguida sem que haja alguém a perseguindo. Fromm chamou isso de narcisismo absoluto. Em um extremo, então, temos a totalidade do narcisismo primário da criança e o narcisismo absoluto da pessoa doente. No primeiro caso, o narcisismo faz parte de um estágio de desenvolvimento; no segundo, é uma degeneração causada por algum tipo de desequilíbrio. Mas em ambos os casos há uma falta de diferenciação entre a vida interior e o mundo externo. O mundo sou eu.

No outro extremo, estariam aqueles que conseguem entender que não há absolutamente nada de especial em seu ponto de vista. Talvez seja esse estado mental a que algumas religiões budistas aspiram quando buscam a dissolução do ego. No entanto, a maioria de nós mantém certo grau de narcisismo, que segundo Fromm tem uma função evolutiva: por que eu iria lutar por minha subsistência se meu ego fosse completamente irrelevante? Um nível adaptativo de narcisismo dá razões para que cada um de nós queira subsistir. Há, portanto, um espectro de narcisismos não patológicos (alguns mais funcionais do que outros, alguns mais abrangentes do que outros), e a maioria de nós se situa dentro desse espectro. Todos pensamos que, de uma forma ou de outra, somos especiais, mas isso não nos transforma em narcisistas patológicos.

O desvio patológico do narcisismo começa quando a pessoa perde a capacidade de distinguir entre seu próprio ponto de vista e a realidade. Pensar em si mesmo, observar-se, até mesmo ser ocasionalmente egoísta, não é suficiente para *acusar* uma pessoa de narcisismo patológico. O narcisismo patológico consiste em deixar de ver o outro, deixar de se interessar pelo mundo, ou seja, não reconhecer que se está em um mundo que é independente do que se pense ou sinta em relação a ele.

Fromm explicava a hipocondria, então, em termos narcisistas. De certa forma, o hipocondríaco perdeu a capacidade de distinguir entre sua vida interior e a realidade: ele sente que está doente, e isso basta para pensar que está mesmo doente. Nem o médico pode dissuadi-lo. O hipocondríaco é centrado em si mesmo e assume que seu ponto de vista é a realidade.

O hipocondríaco moral também vive em um estado narcísico patológico. Só que, no caso dele, o que está em jogo é, digamos assim, a saúde *social*. O hipocondríaco moral tem dois traços narcisistas mesclados: por um lado, pensa que é mais importante do que realmente é; por outro, não sabe distinguir entre sentir que agiu errado e realmente ter agido errado. O hipocondríaco moral

fica indignado com algo sem que isso implique uma injustiça ter de fato sido cometida; pelo contrário, trata-se mais uma vez de uma projeção de sua vida psíquica. Essas características revelam que a pessoa tem dificuldade para distinguir entre seu ponto de vista e a realidade.

Fromm entendia a hipocondria moral da seguinte forma:

> A hipocondria moral não é diferente no essencial [da hipocondria fisiológica]. Nela, o indivíduo não tem medo de adoecer e de morrer, mas de ser culpado. Esse indivíduo está constantemente preocupado com sua culpa pelas coisas que fez de errado, pelos pecados que cometeu etc. Embora possa parecer, para quem não o conhece – e para si mesmo –, alguém particularmente consciencioso, moral e até interessado pelos outros, o fato é que esse indivíduo só está interessado em si mesmo, em sua própria consciência, no que os outros podem dizer sobre ele etc. O narcisismo subjacente à hipocondria física ou moral é o mesmo narcisismo da pessoa vaidosa, só que é menos visível, como tal, a olhos pouco preparados.[4]

4. Erich Fromm, *El corazón del hombre*. Trad. Florentino M. Torner. Cidade do México: Fondo de Cultura Económica. Publicado no Brasil em 1965, pela Zahar, como *O coração do homem*.

A hipocondria moral é um narcisismo negativo que ocorre em estados melancólicos, estados caracterizados por um sentimento subjetivo de inadequação, irrealidade e autoacusação. A culpa é interpretada aqui como sintoma de uma doença um pouco excêntrica: um transtorno moral que se expressa como comportamento incorreto ou, no caso de Boudin, como toda uma existência incorreta.

E, assim como é possível ser hipocondríaco e ficar de fato doente, também é possível ser um hipocondríaco moral e ser de fato culpado por alguma coisa. Seria um erro – de certa maneira divertido – pensar que assumir a hipocondria moral de forma deliberada e permanente torna alguém moralmente infalível. Seria como se assumir que o estado de hipocondria fisiológica fosse garantia de que a pessoa não vai adoecer. Em ambos os casos, haveria um raciocínio tão falacioso quanto deslumbrante: como sofrer de hipocondria não implica ser culpado ou estar doente, eu me torno hipocondríaco para nunca adoecer ou ter culpa. Seria uma linha de pensamento maravilhosa, digna de um esquete de Larry David ou de um conto de Sergi Pàmies. Mas não. O hipocondríaco moral não é aquele que nunca é culpado, é a pessoa que acredita que é culpada em virtude de sentir culpa, como Kathy Boudin, nosso anjo caído.

Quando tinha 20 anos, Boudin passou um verão em Cleveland, onde trabalhou para uma comunidade carente. "As pessoas de lá", declarou ela a Kolbert, "poderiam ter sido faxineiras na casa onde cresci [...]. Agora eu estava vivendo o outro lado daquilo, e isso fez com que eu me sentisse culpada." O contato com aquele mundo mais carente, um mundo em grande parte desconhecido para ela, desperta, não de forma abstrata, mas concreta e tangível, sua condição de privilegiada. E com essa descoberta também surge a culpa deformada, ou seja, a hipocondria moral.

Vejamos como funciona em Boudin a combinação de elementos que gera a hipocondria moral: por um lado, ela tem um radar moral bem calibrado que a faz entender que a miséria daquela comunidade não é seu destino inevitável (não há, em Boudin, um único traço de cinismo, indiferença ou iniquidade). Por outro lado, ela sofre de narcisismo patológico: Boudin acredita que o mundo externo é fruto de seu ego, e então a miséria que vê em Cleveland é obra – e, portanto, culpa – sua. Boudin não é uma pessoa indiferente ao sofrimento alheio, não é um ser amoral (se é que se pode, a rigor, ser amoral; na realidade, declarar-se amoral costuma ser apenas uma forma afetada de descrever nossas próprias imoralidades). Mas tem, ao mesmo tempo, dificuldade de entender que sua culpa é algo que ela mesma projeta no mundo, não um fato do mundo. E, vítima desse narcisismo extremo, reage atribuindo a si própria deveres supererrogatórios.

Um dever supererrogatório é, por exemplo, aquele assumido pelos super-heróis. Trata-se de uma obrigação moral que as pessoas comuns não têm, que é própria daquelas que, como super-heróis imaginários, dispõem de habilidades extraordinárias e superpoderes. Como acha que tem a capacidade de causar sofrimento aos deserdados da terra, Boudin julga que também tem a capacidade de desfazê-lo. Assim, ela assume um dever supererrogatório: impõe a si mesma a obrigação de salvar os deserdados da terra. Pensa que, em última instância, só poderá se livrar de sua culpa comportando-se como uma super-heroína. Boudin, antes de mais nada, não se vê como uma pessoa comum.

De todo modo, não queremos sugerir, é claro, que só os narcisistas conseguem ouvir o chamado do compromisso político ou moral. Alguém pode se envolver em movimentos políticos apenas por ser uma pessoa decente, nobre ou solidária. A diferença entre essa pessoa e Boudin é que esta pensa que só se pode participar de um movimento político como super-heroína, enquanto a pessoa não narcisista – ou pelo menos a pessoa que não sofre de narcisismo patológico – coloca-se a serviço do movimento.

Com a hipocondria moral já nas entranhas, Boudin começa a frequentar alguns movimentos políticos. Estamos falando da segunda metade dos agitados anos 1960 nos Estados Unidos. Durante a famosa convenção democrata de 1968, em um hotel de Chicago, alguns amigos lhe propõem começar a fazer coisas "secretas" em vez de participar das manifestações contra a Guerra do Vietnã. Primeiro, picham a porta de um escritório da CIA. Depois, recebem a missão de despejar um líquido com cheiro de ovo podre nos coquetéis dos delegados democratas. Esse é um ponto de inflexão na história da hipocondria moral de Boudin, não por se tratar de um ato grave, mas pela forma como ela justifica seu envolvimento. Quando ainda estão no saguão, as duas parceiras de Boudin são capturadas pela segurança do hotel. Boudin poderia simplesmente ter ido embora. "Se eu fosse embora", explica, "elas seriam heroínas, e ninguém saberia que eu estava fazendo esse trabalho." Por isso decide se entregar. E o que ela conta depois a Kolbert revela como seu narcisismo a obriga a forçar as coisas: "Demorei muito para contar essa história porque ela é embaraçosa. Fiquei envergonhada com a ideia de que, em vez de ser uma heroína, eu era uma pessoa que procurava um jeito de me tornar heroína." Boudin não podia ser apenas mais uma nas manifestações contra a Guerra do Vietnã. Tinha de fazer algo heroico, especial, diferente. Ela tampouco era uma heroína, digamos, natural – ou seja, alguém que sente que deve fazer algo engajado e em consequência de sua ação se torna, de modo involuntário, ou pelo menos não deliberado, uma heroína. Para Boudin, tornar-se heroína não foi consequência de sua ação política; era seu objetivo. Mas não era um objetivo político ou coletivo, e sim pessoal ou individual. Boudin julga que pode expiar sua culpa assumindo um dever supererrogatório, um dever próprio de quem tem superpoderes de heroína, e então concentra seus esforços não em atingir ou ajudar a atingir algum objetivo político, mas em abafar a própria culpa com a entronização pública de seu sacrifício pessoal. Não é ela quem milita no movimento contra a Guerra do Vietnã; falando em termos psicológicos, é o movimento contra a Guerra do Vietnã que milita nela, é esse movimento que, numa reviravolta dramática, mas também um tanto ridícula, lutará pela causa de uma Kathy Boudin finalmente livre de culpa. Mas, em Chicago, Boudin fracassa. E nas tentativas seguintes também. Ela acaba descobrindo que a hipocondria moral, uma vez que começou a corroer a alma, é insaciável.

Para além de adotar três ou quatro *slogans* típicos de um incipiente *marketing* político, Boudin não tinha qualquer cultura política minimamente articulada: era uma pessoa desorientada, em termos estratégicos. Seu problema não era falta de realismo político por querer implantar um projeto utópico. Seu problema era que ela não vivia na utopia, mas em uma alucinação política. Aqueles que almejam e tentam concretizar um ideal utópico podem ser otimistas em excesso e carecer de uma visão realista do mundo, mas não costumam sofrer de hipocondria moral porque, dentre outros motivos, embarcar na tentativa de organizar um ideal utópico talvez seja a atitude mais antiburguesa que existe, ao passo que a hipocondria moral talvez seja uma atitude exclusiva das mentalidades burguesas.

Boudin era, nas palavras de Fromm, uma pessoa melancólica, cujos sentimentos de inadequação, irrealidade e autoacusação a fizeram se afastar politicamente do mundo político, ou melhor, usar o mundo político como um meio para outro fim: sufocar sua culpa desenfreada.

Somos céticos a respeito da possibilidade de que alguém possa pôr seu narcisismo patológico a serviço de uma causa política, porque esse tipo de narcisismo parece impedir, por definição, o tipo de solidariedade que uma causa política requer (pelo menos uma causa política em sentido emancipatório). Mas não temos dúvidas de que a causa política, no caso de nossa aspirante a heroína, estava a serviço de seu narcisismo.

Podem nos acusar de sermos severos demais com algo que é apenas o comportamento de uma pessoa muito jovem num contexto social e político extremamente conturbado. Afinal, Boudin tinha 20 e poucos anos quando, no final da década de 1960, se entregou às autoridades em um hotel de Chicago. "Não sejam tão duros com o ímpeto da juventude engajada e revolucionária!", poderiam muito bem nos interpelar. E com certa razão.

Mas, no caso de Boudin, a hipocondria moral era aterrorizante, e não só não diminuiu com o passar dos anos como talvez tenha até se intensificado, pois, à medida que envelhecia, o tempo para tentar expiar sua culpa ficava mais curto. Quando em 1981 acontece o assalto – ou expropriação, como denomina o Black Liberation Army – que terminou com a morte de três pessoas e teve a participação de uma Boudin que decidiu livremente não ser livre por um tempinho, nosso anjo caído tem 38 anos. Já não é exatamente uma jovem revolucionária – e estamos na neoliberal década de 1980. Na manhã do assalto, ou expropriação, ela deixou o filho de 14 meses com uma amiga e combinou encontrá-la à tarde para passear com as crianças no parque. Boudin leva uma vida, no mínimo, pequeno-burguesa.

Em vez de dar esse passeio no parque, às 15h45 ela faz outra tentativa narcisista de se livrar da culpa. Nunca chega a dar esse passeio, porque dessa vez a coisa não se limita a azucrinar senhores engravatados, como tinha acontecido mais de uma década antes naquele hotel em Chicago. Dessa vez, corre sangue.

Talvez o mais impressionante de tudo seja que Boudin tenta ser heroína sem saber de que maneira será heroína. Presa na lógica de que sua própria vida era uma imoralidade, não lhe importava muito o que fizesse para compensar, só o que lhe importava era estar ativamente envolvida. Sua mera participação, pensava, podia expiar seu pecado existencial: tanto fazia pichar portas ou ser cúmplice de um assalto e da morte de três pessoas.

A culpa que Boudin sente não é desorientada, uma vez que ela detecta bem as injustiças sociais à sua volta. Mas seu narcisismo avassalador a faz pensar que, se tem o poder de causar essas injustiças, também deve ter o poder de revertê-las. É um delírio de narcisismo e também de megalomania, combinação de disparates que costuma ter consequências nefastas. Nenhuma das pessoas envolvidas nessa *expropriação*, tanto as mortas quanto as vivas, ganhou nada além de angústia. A hipocondria moral pode levar à confusão, e o desejo de expiar por toda a eternidade a culpa galopante que ela sente, para que sua sentença seja revertida com uma canetada, contribui decisivamente para um colapso.

Fromm estava certo quando falava da hipocondria moral como um narcisismo negativo. O que não sabemos é se ele pensava que a hipocondria moral podia ser modificada com terapia ou se, pelo contrário, a autoacusação, a inadequação e a sensação de irrealidade são uma condenação perpétua.

A CONTRAPASTORAL

Talvez não seja agradável para vocês, leitoras ou leitores, saber que pensam da mesma maneira que Philip Roth. Ou talvez seja lisonjeiro. De qualquer forma, se acham que a história de Kathy Boudin merece ser contada em um livro – ou, como diria uma boa editora com sua característica capacidade de sintetizar intuições, se vocês consideram que Boudin *tem* um romance –, então precisam saber que compartilham uma ideia que Philip Roth teve e materializou em *Pastoral americana* (1997).

Em sua vigésima obra de ficção, Roth flerta com uma nova tentativa de escrever o Grande Romance Americano (mas que, deixando de lado o traço ensimesmado típico da cultura que fundou os Estados Unidos, a cultura protestante – assim como sua pulsão eurocêntrica exportada –, é na verdade o Grande Romance Norte-Americano). E dessa vez o faz com duas peculiaridades. A primeira é que, diferentemente de outro de seus romances, intitulado justamente *O grande romance americano* (1973), *Pastoral americana* não é uma paródia alegórica. E a segunda é que *Pastoral americana* conta uma história de hipocondria moral. O que é quase como dizer que a história da classe média americana é a história de uma culpa insaciável, da impossibilidade – por mais que o desejo de uma vida burguesa seja o desejo de harmonia – de enterrar o conflito que segrega dos pontos de vista econômico, cultural e racial os que vivem nesse experimento social e político chamado Estados Unidos.

É também a história, como diz Nathan Zuckerman, *alter ego* de Roth e narrador do romance, da frustração perene dos judeus norte-americanos daquela geração. Uma geração incapaz de desatar o nó, também intimamente ligado à culpa, de seu desejo mais íntimo: ser igual e ao mesmo tempo diferente dos gentios americanos.

Trata-se, segundo Vivian Gornick, de um nó com o qual as gerações de judeus norte-americanos anterior e posterior a Roth não tiveram que lidar. Os que o precederam se concebiam como judeus vivendo nos Estados Unidos;

ainda que sem negar sua identidade, as gerações posteriores identificam-se como norte-americanos de origem cada vez mais remotamente judaica. Cada uma a seu modo, e mais por necessidade do que por virtude, tanto a primeira quanto a terceira geração (e as subsequentes) firmaram um armistício bem-sucedido entre suas múltiplas identidades. As condições desse armistício incluem uma hierarquização das identidades – que cada uma dessas duas gerações estabeleceu, invertendo a ordem de precedência –, com o objetivo velado de reduzir as agressões entre si. Já a de Roth era reticente quanto à hierarquização: eles viam suas duas identidades em termos equivalentes, mas não sabiam como lidar com elas quando uma atacava a outra. Ou melhor, não sabiam fazê-lo sem a hipocondria moral provocada por ter de escolher entre serem desrespeitosos com a identidade herdada ou displicentes com a identidade adquirida.

No imaginário rothiano, os judeus da primeira e da terceira gerações julgam que a paz entre as identidades é a ausência de guerra entre elas. Roth era mais ambicioso e, talvez por isso mesmo, mais hipocondríaco moral (já notaram, leitores atentos, que todos os hipocondríacos morais são pessoas secretamente ambiciosas?). Para ele, a paz entre as identidades não era a mera ausência de guerra, não era um pacto de não agressão entre partes que estão sempre em guarda e convivem em uma calma tensa. A geração de Roth aspirava a uma convivência feliz entre suas diversas identidades, com um reconhecimento e um respeito permanentes e uma ternura recíproca sob um teto comum. *Pastoral americana* é a história da frustração, ao constatar que a convivência acaba sendo tão infeliz, o reconhecimento mútuo tão insignificante e o amor tão venenoso que talvez não reste sequer a possibilidade de um armistício entre as identidades. A tentativa de forçar esse tipo de coexistência entre identidades – não à toa, Zadie Smith chamou essa busca rothiana de "identidade impossível" – é ao mesmo tempo fruto e semente da hipocondria moral.

O protagonista de *Pastoral americana* é Seymour Levov, chamado de Sueco por sua aparência física de escandinavo. Sueco é um ídolo no bairro judeu de Newark onde cresce e, na adolescência, nos anos 1940, é visto como uma espécie de Hércules dos esportes. Fascinado pela exuberância física e pela virilidade conferida pela simetria e a proporção das formas, Roth/Zuckerman – que sempre parece complexado e ao mesmo tempo deslumbrado com o fato de que o corpo, mais do que a mente, é capaz de criar coisas e acontecimentos extraordinários, momentos de intensidade vital aos quais a criação mental não pode aspirar – afirma que o Sueco cultiva uma vida também exuberante e bem-sucedida do ponto de vista social. Além disso, parece estar convencido de que o Sueco é a personificação da simetria e da proporção das ideias morais. Esse perfeito ajuste de valores redobra a virilidade da pessoa que é portadora de todas as formas e substâncias com que a ordem e a harmonia se expressam.

5. Elizabeth Hardwick, "Paradise Lost", *The New York Review of Books*, 12.06.1997.

Em uma resenha de *Pastoral americana* na *New York Review of Books*,[5] Elizabeth Hardwick observa que Roth estrutura suas obras de ficção não por meio de marchas e contramarchas ou de tramas detalhadas, mas de diatribes ou invectivas (*tirades*). Seus romances avançam em longas sucessões de invectivas lançadas por seus personagens, verdadeiras explosões verborrágicas de raiva. *Pastoral americana* é uma sequência de diatribes dirigidas a diversos lugares, a diferentes pessoas e a vários sistemas de símbolos e convenções culturais, sociais e religiosas.

Uma das invectivas que estruturam o romance é dirigida contra a hegemonia *wasp*. Trata-se de um desabafo que não é o ponto central do livro, mas que de todo modo é muito ferino. Roth/Zuckerman constata que a hegemonia *wasp* é tão cruel que os moradores do mesmo bairro que o Sueco o adoram porque ele não parece judeu, mas um protestante branco americano, com seu portentoso maxilar apolíneo e seus cabelos dourados. O Sueco alcançou a categoria de lenda entre os seus porque não tem a aparência que, segundo as convenções e preconceitos *wasp*, os judeus deveriam ter. Roth/Zuckerman descarrega assim sua raiva contra essa hegemonia que moldou a tal ponto o arquétipo de beleza americano – e, por que não dizer, de todo o Ocidente – que os próprios judeus internalizaram essa forma particular de auto-ódio fisionômico.

Mas *Pastoral americana* não é apenas a história da hipocondria moral da classe média americana: é também uma longa diatribe *contra* a hipocondria moral. A vida do Sueco, aparentemente perfeita, sai dos eixos quando a filha, Merry, se revela – e se rebela – uma terrorista que detona bombas para protestar contra a Guerra do Vietnã. Aparecem os Weathermen – o grupo armado real do qual Kathy Boudin fez parte – e há até uma menção, passageira, porém explícita, ao nome dela, sugerindo assim que Merry Levov não é, ou não é exatamente, Kathy Boudin. Mas não importa. A história de Merry Levov é a história de Kathy Boudin porque o tormento de Merry é o mesmo de Kathy. Merry se sente culpada por ser quem é: uma pessoa abastada da classe média alta de Newark, alguém que desfruta de privilégios herdados.

Em uma passagem muito improvável – e curiosamente verossímil à luz dos estragos causados pela hipocondria moral –, a família Levov vê pela televisão monges budistas ateando fogo ao próprio corpo. E nesse momento Merry descobre que seu lugar no mundo é o do privilégio, da certeza, das garantias.

E se pergunta, mas também pergunta aos pais, por que ninguém faz nada para ajudar aqueles monges. Os pais não têm resposta. Ela imediatamente começa a sentir-se culpada e, portanto, a acreditar que é culpada. E é dominada pela sensação de que tem de fazer *alguma coisa*, seja lá o que for, tem de se mexer, e que seu coração, a partir desse momento de perda virtual da inocência, passará para os pés, o órgão que vai lhe permitir se movimentar para fazer *alguma coisa*. A hipocondria moral já está dentro de Merry Levov. E então ela se rebela contra seus pais. Passa a frequentar grupos politizados de Nova York contra a Guerra do Vietnã (como fez Kathy Boudin na vida real). Pouco a pouco, sua retórica vai se agravando. E sua carreira homicida começa com uma bomba na agência de correios da cidade dos pais. Nessa explosão, um médico acaba morrendo. E, em meio à fumaça daquela bomba, Merry some, passa à clandestinidade e mata mais três pessoas.

Merry, como diz Roth/Zuckerman em uma frase memorável, se revela habilidosa na "rudeza complacente com que ela pratica a antiga diversão francesa de espancar a burguesia".[6] Pois ninguém ataca a burguesia com mais brutalidade que seus filhos devorados pela hipocondria moral.

6. Philip Roth, *Pastoral americana*. Trad. Rubens Figueiredo. São Paulo: Companhia das Letras, 1998, p. 435.

Roth faz uma espécie de indagação literária – que só poderia ser expressa com invectivas – sobre as causas da hipocondria moral de Merry. Essa investigação é motivada pelo desconcerto que o comportamento e a brutalidade da personagem geram em Roth/Zuckerman e em Seymour Levov – o verdadeiro *alter ego* de Roth em *Pastoral americana*, o pai que ele nunca foi, mas imaginou ser. Essa atitude parece tão irracional e fora de lugar que eles precisam tentar dar-lhe um sentido, encontrar a origem de tanta destruição. Este punhado de homens, Roth, Zuckerman e Seymour Levov – que não são o mesmo homem, apesar de olharem o mundo com os mesmos olhos –, quer entender o porquê.

Ao longo da narrativa, Zuckerman explora algumas explicações para a hipocondria moral de Merry. A primeira delas é que Merry se odeia por ser gaga. Que se sente humilhada. Que precisa se libertar, e o terrorismo é sua forma de libertação. É uma hipótese descabida mesmo para os casos mais excêntricos de hipocondria moral (por outro lado, o fato de não ser a causa da hipocondria moral não exclui que a gagueira possa ser uma de suas consequências). Outra hipótese é que Merry se torna uma terrorista porque assim pode se vingar de sua mãe, Dawn, que odiaria a própria filha por não ser tão bonita quanto ela (Dawn havia sido *miss* Nova Jersey na juventude). Zuckerman/Roth explora outras explicações, algumas mais superficiais, outras mais complexas. Nenhuma delas parece muito satisfatória para o narrador ou os leitores. As hipóteses têm, no entanto, algo em comum: em todas elas, as mulheres se odeiam visceralmente, são vingativas e ressentidas.

Surge assim um tema recorrente na carreira literária de Roth: as mulheres são perversas, cruéis e oportunistas. Os homens, ao contrário, muitas vezes têm um bom coração, mas erram em suas decisões ao se verem atingidos pelas dificuldades e complexidades da vida adulta, dificuldades e complexidades com as quais sua ingenuidade natural raramente consegue lidar. É o caso do Sueco em *Pastoral americana* e de outros protagonistas dos romances do autor (incluindo, muitas vezes, o próprio Zuckerman). Na obra de Roth, as mulheres costumam cometer maldades; os homens cometem erros. Essa é uma das assimetrias que perpassam boa parte de sua ficção. Roth era um autor irado contra tudo e contra todos. Seus personagens lançavam diatribes contra os homens, os gentios, as mulheres. Mas, enquanto sua raiva contra os homens era mediada pela compaixão e sua fúria contra os gentios, pela conhecida e contraditória aspiração de ser igual e ao mesmo tempo diferente deles, a cólera perceptível no papel que ele atribuía às mulheres não tinha instâncias mediadoras. Brotava em seus romances como uma fúria aparentemente pura, visceral, mundana.

Pois bem, será realmente Roth quem concebe as mulheres como megeras? Ou é Zuckerman, o narrador de *Pastoral americana* e vários de seus outros romances, quem sente essa raiva? Ou são alguns personagens do livro que consideram as mulheres vingativas e ressentidas? Não haverá algo de injusto em atribuir esse ódio a Roth quando esse romance, como muitos outros de sua obra, não é uma confissão, e sim uma ficção?

Em *The Men in My Life* (2008), Vivian Gornick diz que a ascensão literária de Roth, assim como a de Saul Bellow alguns anos antes, se deu por meio de uma aproximação, que chegava à confusão absoluta, entre autor e narrador. A arma com que Roth ataca o *establishment* literário americano – do qual, contudo, afirmava fazer parte – é impugnar a convenção de que o narrador em primeira pessoa é um personagem do romance; mas Roth chega ao olimpo literário fazendo do autor um personagem, e não qualquer personagem – muitas vezes, o protagonista. Na opinião de Gornick, essa fusão era uma operação sutil para evidenciar o autor e, de modo mais geral, reivindicar um lugar central para os judeus americanos na constelação literária e cultural do país (de maneira mais ampla, a confusão entre autor e narrador é uma forma de emancipação literária por parte de autores e autoras que têm identidades subjugadas: por isso, a literatura do eu escrita por mulheres, como se pode inferir do que diz Gornick, é em si mesma uma forma de emancipação literária).

A partir de *O complexo de Portnoy* (1969), que causou grande escândalo na época de sua publicação, a obra de Roth será confessional, se não no que diz respeito aos fatos, com os quais sempre brinca, pelo menos em relação àquilo que seus protagonistas amam e odeiam. Dali em diante, os narradores dos romances de Roth retratarão as mulheres em grande parte como megeras porque Roth via as mulheres em grande parte como megeras.

É justamente em *Pastoral americana* que tem fim, pelo menos em parte, essa mimese psicológica e moral – mas não factual – entre autor e narrador protagonista. Seymour Levov, e não o narrador, Zuckerman, é o protagonista. *Pastoral americana* é a história de Levov narrada por Zuckerman, que aliás ocupa um lugar muito secundário, para não dizer anedótico, na trama. Trata-se, no entanto, de uma mudança formal, não substantiva. Expliquemos. Na época da publicação de *Pastoral americana*, Philip Roth já era Philip Roth, e a literatura dos judeus norte-americanos já tinha passado a fazer parte da literatura norte-americana com a contribuição fundamental do próprio Roth, depois de triunfar em uma empreitada de proporções culturais épicas. Roth já não precisa, e talvez nem queira mais, se afirmar como escritor. E deixa para trás o que havia sido uma aposta iconoclasta: fundir autor e narrador protagonista. A partir desse momento, pode separá-los. No entanto, insistimos, não se trata de uma mudança substantiva. O protagonista de *Pastoral americana*, Seymour Levov, é tão ingênuo quanto qualquer outro dos *alter egos* de Roth desde *O complexo de Portnoy*. Em meio às tribulações para tentar entender os golpes que levou da vida – uma filha terrorista, uma amante que escondeu sua filha depois de cometer um atentado e uma esposa gentil que o trai com um vizinho e acaba se revelando, aos seus olhos, uma megera –, recorre aos mesmos clichês a que, em outros livros, costumava recorrer a criatura que é resultado da mimese entre o autor e o narrador protagonista. O abandono desse esquema se revela ainda mais irrelevante, pelo menos para o que nos interessa aqui, se levarmos em conta que, em *Pastoral americana*, é Zuckerman quem faz a maior parte dos retratos dos personagens e emite a maioria das opiniões sobre eles. Não é absurdo dizer que a investigação literária da hipocondria moral de Merry Levov é uma indagação literária do próprio Roth (ou, em outras palavras: a imaginação de Roth não permite que a imaginação de Zuckerman se emancipe).

A diferença entre *Pastoral americana* e muitos dos romances anteriores de Roth não é que narrador e autor deixam de ser um só, é que o narrador deixa de ser o protagonista do romance. Em *Pastoral americana*, o autor não se imagina mais como protagonista, mas como um ser que é metade demiurgo, metade personagem mundano e secundário, encarregado de narrar aquele universo que ele mesmo criou. Roth, então, não prescinde de Zuckerman; prescinde de fazer de Zuckerman o protagonista dos acontecimentos do romance (coisa que no passado já havia ocorrido algumas vezes, aliás). Mas quem imprime a personalidade ao romance é Roth/Zuckerman.

E essa personalidade consiste em uma demonstração de força de um escritor soberbo, menos para explicar do que para *narrar* o mecanismo da hipocondria moral. E nada revela melhor essa habilidade narrativa do que o destino que Roth projeta em *Pastoral americana*, com notável má intenção, para Merry Levov. A expressão máxima e mais refinada da hipocondria moral seria sua naturalização. Merry Levov, depois de matar quatro pessoas em sua breve, mas intensa, carreira de terrorista, acaba se envolvendo com uma seita jainista, escondida num casebre de Newark. É assim que Zuckerman relata o encontro entre Merry e seu pai quando este descobre seu paradeiro depois de cinco anos:

> Ela usava o véu a fim de não fazer mal algum aos organismos microscópicos que habitam o ar que respiramos. Não tomava banho porque venerava toda vida, inclusive os vermes. Não se lavava, ela explicou, a fim de "não fazer mal nenhum à água". Ela não andava de noite, nem mesmo dentro do seu quarto, com medo de esmagar sob os pés algum ser vivo. Existem almas, ela explicou, aprisionadas em todas as formas da matéria; quanto mais baixa a forma de vida, maior a dor da alma aprisionada ali dentro. O único modo de se tornar livre da matéria e chegar àquilo que ela descreveu como a "ventura autossuficiente para toda a eternidade" era se tornar o que ela reverentemente denominava "uma alma perfeita". Só se alcança essa perfeição mediante os rigores do ascetismo e da renúncia, e por meio da doutrina do *ahimsa*, ou não violência.[7]

7. *Ibidem*, p. 268.

Mesmo a presença do ser humano no planeta Terra, a própria respiração de cada um, e até a entrega à quietude absoluta são maneiras de turvar o ar, de contaminar a natureza, são, enfim, mecanismos para se atribuir culpa. Não há nada a fazer. Somos culpados, e isso em decorrência de um fato natural ou biológico arbitrário: a vida (observem as concomitâncias com o pecado original cristão, mas também as diferenças: o pecado original cristão não é um fato biológico aleatório, é o fracasso num desafio imposto deliberadamente aos seres humanos). Para Merry Levov, a fonte do sentimento de culpa não é mais pertencer a uma classe social ou a um grupo cultural. Ou não apenas. Agora, depois de constatar a impossibilidade de aniquilar a culpa detonando bombas, ela dá o passo mais agônico em sua hipocondria moral. Agora a culpa não vem da estrutura social e cultural hierarquizada. Ou não apenas. Agora é a própria existência humana, em seu sentido biológico, que se revela intrinsecamente culpada, o que sugere que a hipocondria moral realmente poderia ser entendida como uma versão secular e arbitrária do pecado original cristão. Assim, nos últimos compassos de *Pastoral americana*, a hipérbole se apropria, ainda mais, da ideia de hipocondria moral, e esta passa a ser um simples fato natural. Que malícia de Roth: respirar é agredir!

Mas talvez haja algo a aprender com o destino de Merry Levov, assim como com o de Kathy Boudin. Ou melhor, talvez haja algo a não aprender: tentar neutralizar a culpa fazendo *o bem* pode ser uma empreitada devastadora. O problema, então, não parece estar na culpa em si, mas na estranha convicção de que é possível expiá-la de forma total e impoluta, compensando o mal que a própria existência implica com uma trilha de ações destinadas a fazer *o bem*.

Não importa agora que só um enorme desespero para lavar a culpa pode fazer alguém acreditar que usar bombas para matar pessoas sem nenhuma influência ou relevância no mundo pode ser considerado fazer *o bem*. Também não importam agora as divergências mais agudas sobre o que é *o bem*. O que importa é que o exercício da compensação absoluta do mal que a própria existência implica só pode ser – para dizer como o poeta José Gorostiza – um exercício de morte sem fim. Perseguir o bem a todo custo pode acarretar uma destruição interminável.

E o mais doloroso, quase um castigo sisífico, é que, depois de enveredar por esse caminho de morte sem fim, a culpa, altiva e arrogante, estará presente – mesmo depois da explosão das bombas. Na verdade, só ela permanecerá lá, junto com seu portador. E assim, habitante solitário de um deserto, o hipocondríaco moral será uma das expressões mais brutais da força do narcisismo negativo: um mundo com um único habitante e uma única emoção como companhia, a culpa patológica.

Há uma ambiguidade estridente em *Pastoral americana*, que pode ser lido como um romance cuja sugestão sutil é que, por ser uma emoção absolutista e destrutiva, a própria ideia de culpa deve ser abandonada. Isso se comprova na trajetória e no destino de Merry Levov, que, dominada e devorada por essa emoção, parece ignorar outras: ignora a compaixão, o amor, a ternura, a amizade, o perdão. Há ainda uma outra leitura, mais generosa com a culpa, que não a concebe como uma emoção com pretensões imperialistas insaciáveis, sempre ávida por conquistar e ocupar novos territórios emocionais. A culpa seria uma emoção com a qual precisamos conviver e que não olha para o resto dos sentimentos com o nariz empinado. Dessa forma, *Pastoral americana*, de modo igualmente sutil, insinuaria que o que condena a culpa a se tornar hipocondria moral é o repúdio ao pluralismo das emoções. Talvez possamos impedir que a culpa nos destrua, equilibrando-a com a compaixão, a amizade, a curiosidade ou a resignação diante do papel desconcertante do acaso em nossa vida, bem como aceitando as incoerências e desconfortos que essa ponderação implica. E ainda continuará intacta a rara capacidade de a culpa nos alertar, como um desagradável alarme de terremotos, contra o cinismo.

Às vezes Roth parece deixar-se levar por seus próprios ataques de ira. E, quando isso acontece, surge em seus romances uma imagem unidimensional tanto dos homens bons quanto das mulheres más. Mas nele pulsava, embora às vezes de forma inaudível, uma representação heterogênea das emoções e dos temperamentos humanos. Sob essa interpretação da *Pastoral americana*, há um pedido, feito com um fio de voz, mas ainda assim um apelo nítido: não é preciso bloquear todo e qualquer sentimento subjetivo de culpa; basta atacar seu desvio patológico, aquele que aniquila o pluralismo de emoções e que deve ser totalmente neutralizado. Nós nos inclinamos por esse último Roth, não porque pensemos que seja *o verdadeiro* Philip Roth (se é que existe um verdadeiro, questão que nos deixa bastante céticos). Na verdade, preferimos esse Roth porque é o Roth pluralista, é o Roth que equilibra a ira com outras emoções e, ao fazê-lo, emerge como um autor que reúne uma estranhíssima mistura de sensibilidade, compaixão, sede de vingança, indecência, pureza, ressentimento, perdão, humor e, também, uma rejeição consciente à emoção da hipocondria moral.

De resto, inclinar-se por esse Roth pluralista não nega que a atração exercida pelo outro Roth, aquele que se deixa sequestrar exclusivamente pela raiva, pode chegar a ser não apenas repugnante, mas, às vezes, irresistível.

O MÉTODO DIDION CONTRA A HIPOCONDRIA MORAL

Em *The Center Will Not Hold* (2017), documentário sobre a vida de Joan Didion dirigido por seu sobrinho Griffin Dunne, ocorre o seguinte diálogo a respeito de seu primeiro período como jornalista, nos anos 1960:

> GRIFFIN DUNNE: Como você se sentiu como jornalista quando viu, naquele quarto, uma menina de cinco anos tomando ácido?
> JOAN DIDION: Bem, foi... Deixe eu lhe dizer: foi ouro.

Se Merry Levov e Kathy Boudin adquirem consciência – e culpa – sobre seu lugar no mundo ao presenciarem cenas dolorosas que denotam sua posição privilegiada, Joan Didion reage vendo nada menos do que ouro diante de uma cena tão ou mais atroz do que as que causaram impacto nos personagens de Roth.

Joan Didion via o mundo pelos olhos do jornalismo. Para ela, dava no mesmo se era um mundo tétrico ou saturado de amor. Didion adotava o ponto de vista da jornalista que perscruta, tomando distância do que vê. A matéria que compõe o mundo é apta ou inapta para ser contada. Só isso. Didion não deixa nenhum resquício de culpa ou de mágoa embaçar seu olhar jornalístico. O importante é contar a história. O que interessa é descrever aquela menina de cinco anos chamada Susan tomando ácido em um quarto de uma casa de *hippies* na Califórnia dos anos 1960.

A distância que se abre entre Didion e essa menina é a mesma que se fecha entre Boudin e a comunidade carente de Cleveland com quem passa o verão ou entre Merry Levov e os monges budistas que se incendeiam. Essas cenas exercem dupla influência tanto em Boudin quanto em Levov. Primeiro, funcionam como bússolas; dizem a elas, como já mencionamos, qual é seu lugar no mundo: o das pessoas abonadas. E depois indicam algum tipo de causalidade narcísica entre as pessoas que sofrem e o lugar que Boudin ou Levov ocupam no mundo: em certo sentido, consideram-se culpadas pela situação dessas pessoas; em certo sentido, pensam que causaram essas situações. A hipocondria moral subiu e já está em seu coração. Levov e Boudin veem essas cenas com olhos culpados. Didion, não. Para ela, a questão de quem é culpado, nesse contexto, é secundária, ou pelo menos adiável. O que importa em primeiro lugar é pegar uma lupa e observar de perto as pepitas de ouro recém-descobertas.

Não queremos sugerir com isso que o olhar de Didion seja frívolo, insensível ou que ela não esteja interessada na situação da menina. Muito menos que Didion pense que a motivação do jornalismo é desprovida de valores. Pelo contrário. A metáfora do ouro é descontínua: o garimpeiro é movido pela ganância ou pela intenção de fazer fortuna instantaneamente, enquanto Didion, para dizer como no clássico poema cristão, "move-me ver teu corpo tão ferido sofrer afrontas e jazer inerte".[8] Didion é movida pela necessidade humana de contar histórias, não pela ideia de fortuna pessoal.

Além disso, para o garimpeiro, o ouro não pode ser transformado quimicamente em algo mais valioso – pois o ouro é a medida de todas as coisas de valor –, ao passo que, para Didion, o ouro é o penúltimo estado do material de que são feitas as histórias que nos contam como as sociedades desmoronam ou se consolidam. Didion enxerga alguns fatos como ouro que ela pode transmutar em algo que é ainda mais precioso: literatura. A distinção entre ficção e não ficção é irrelevante aqui, pois, como diz Hilton Als no prólogo do volume de artigos e ensaios *Vou te dizer o que penso* (2021),[9] a não ficção de Didion não apenas se lê como ficção, mas tem o poder metafórico da grande ficção. Ou seja, é literatura.

E uma menina de cinco anos sob efeito de ácido é literatura porque sua história sintetiza como as sociedades que entram num período de ruptura oscilam entre a falência total

8. Versos do soneto espanhol anônimo do século 16 "A Cristo crucificado", já atribuído a Teresa de Ávila e João de Ávila, entre outros. No texto original, os autores o atribuem a João da Cruz. A tradução aqui citada é de Ivo Barroso, publicada na antologia de poemas *O torso e o gato* (Record, 1991).

9. Joan Didion, *Vou te dizer o que penso*. Trad. Mariana Delfini. Rio de Janeiro: Harper Collins, 2023.

e absoluta dos laços de solidariedade e cuidados – laços que evitariam que uma menina de cinco anos tomasse ácido – e uma falência apenas parcial. Obter essa síntese, essa liga entre um metal precioso e um conjunto de recursos literários, exige a intervenção de uma mente peculiar e perspicaz, a mente – e a pena – de Didion.

E só então, quando o ouro já não é ouro, e sim algo mais valioso, talvez Didion se permita que apareçam outras emoções que não a anestesia produzida pelo artificial, mas necessário, distanciamento jornalístico (sim: a anestesia é uma emoção, aquela que impugna as outras emoções; é a rainha das emoções negativas). A culpa ou outros sentimentos e emoções só podem vir à tona quando a história tiver sido construída e o valor do ouro, superado. Mas até esse momento seu método contra a hipocondria moral será bloquear a culpa e se obrigar a manter um distanciamento emocional em relação aos fatos que observa.

Pode-se dizer, exagerando um pouco, que a crítica à sentimentalização da vida pública foi uma grande obsessão de Joan Didion. Em termos mais concretos, ela repudiava o jornalismo que contribuía para sentimentalizar a vida pública ao optar por adornar as histórias que conta com expressões bonitas, melífluas e solenes. É possível que Didion, como sustenta Louis Menand em "Out of Bethlehem: The Radicalization of Joan Didion",[10] tenha transformado suas posições políticas ao longo da vida, passando de conservadora (em 1964 chegou a votar no candidato republicano Barry Goldwater) a defensora de causas mais progressistas. Mas houve algo que sempre se manteve em Didion, independentemente de sua virada à esquerda: o olhar jornalístico, o distanciamento emocional em relação àquilo que observava. Estamos falando de um tipo de individualismo romântico na escrita – herdado de Hemingway, como ela própria confessa em *Vou te dizer o que penso* – que lhe permitia olhar as coisas sem se misturar ao que estava olhando, que a fazia se deslocar através das histórias sem se apegar afetivamente a elas. Didion achava que esse olhar distanciado era o que permitia passar do ouro dos fatos à literatura. E esse olhar distanciado exigia a desdramatização dos fatos narrados. Em um de seus ensaios mais brilhantes, "Viagens sentimentais",[11] Didion trata da repercussão de um caso de agressão e estupro de uma mulher que corria no Central Park, em Nova York, numa noite de 1989. Didion lança suspeitas sobre a culpa dos homens que foram presos

10. *The New Yorker*, 24.08.2015.

11. *The New York Review of Books*, 17.01.1991.

e levados a julgamento – todos eles não brancos –, sugerindo um viés racial no fato de serem acusados e por fim condenados a anos de prisão. Trazemos aqui esse esplêndido ensaio não apenas para ressaltar o faro de Didion, afinal os condenados foram absolvidos em 2002, confirmando que as provas contra eles sempre foram inconsistentes e insuficientes e que a motivação para condená-los vinha de um lugar inconfessável. Se evocamos "Viagens sentimentais" é porque se trata de um dos textos em que Didion deixa mais claro por que acredita que a vida pública, da qual o jornalismo é parte constitutiva, não deve ser sentimentalizada.

> A insistente sentimentalização da experiência [...] não é novidade em Nova York. A preferência pela pincelada grossa, pela distorção do personagem e a eliminação de suas nuances, e a redução dos acontecimentos a uma narração, tem sido, há mais de 100 anos, a própria essência da forma que a cidade tem de apresentar a si mesma: [...] 8 milhões de histórias, e todas a mesma história, cada uma delas planejada para esconder não só as tensões reais entre raças e classes sociais, mas algo que é mais importante, os acordos cívicos e comerciais que tornaram essas tensões irreconciliáveis.

Parte da imprensa defendeu que essa mulher, ao se arriscar a correr no Central Park à noite, estava afirmando a primazia da liberdade sobre o medo, que ela era "a Mulher Coragem", que seu estupro foi o estupro de toda Nova York. Ela simbolizava o ideal da cidade: branca, classe média, frequentadora do Central Park. E reparar e punir o que ela havia sofrido era reparar e punir o que a cidade, vista sob sua melhor luz, havia sofrido. A coesão dos nova-iorquinos estava fissurada, e só podia ser restaurada com a reparação do símbolo atacado.

Tratava-se, evidentemente, de uma coesão espúria, destinada a fazer pensar que os interesses de todos os nova-iorquinos podiam estar alinhados e harmonizados sob o manto do sacrifício daqueles garotos. Os interesses contrapostos dos habitantes da cidade foram assim sepultados pela retórica que sentimentaliza os acontecimentos, uma retórica destinada a dar um alívio urgente, a princípio, a toda a cidade, mas que em última instância é destinada a proteger e consolar rapidamente as classes abonadas acossadas pelo medo.

A sentimentalização, considera Didion, citando o historiador William R. Taylor, proporcionaria uma suposta "neutralidade ideológica" que implicaria "uma forma milagrosa de coesão social". Milhares de crimes iguais ou semelhantes na Nova York da década de 1980 não mereceram a atenção nem a sentimentalização dos jornalistas, como no caso da corredora do Central Park. A razão era óbvia. Nas outras ocasiões, essa milagrosa coesão ou cola social não foi necessária porque o ideal de cidade não estava sendo atacado. Não, na sentimentalização não há neutralidade, na verdade ela aplaca os conflitos sociais.

Vamos recorrer a um exemplo mais próximo no tempo para ver por que a sentimentalização da vida pública tende a ocupar um lugar no debate público que deveria ser tomado por questões políticas. Em julho de 2021, um rapaz muito jovem chamado Samuel Luiz foi agredido e morto na saída de uma discoteca em La Coruña (Galícia, Espanha). O rapaz, que era *gay*, foi xingado antes e durante esse ataque com gritos de "Veado!". Parte da opinião pública recorreu, nas redes sociais, e também em faixas visíveis nas passeatas de protesto contra o homicídio, aos conhecidos *slogans*: "Ame quem você quiser" ou "Viva sua sexualidade como quiser". A esse respeito, o seguinte tuíte de Max Martí ilustra bem o espírito da queixa de Didion:

> *Max Martí* @maxmarticos – 6 de Jul
> Estou a um "Ame quem quiser" ou "Viva sua sexualidade como quiser" de tocar fogo em alguma coisa. Ser, queremos ser, mesmo que não amemos absolutamente ninguém e não tenhamos a menor vontade de trepar, obrigado.

Alguns dias antes do assassinato de Samuel Luiz, e por ocasião do Dia do Orgulho LGBTQIA+, o mesmo tuiteiro postou algo no mesmo sentido:

> *Max Martí* @maxmarticos – 28 de Jun
> *Love is love* porra nenhuma. Não queremos amar como cis héteros. Queremos os mesmos direitos que eles têm. Que não quebrem nossos dentes. Que não teorizem sobre nós nem nos usem uma vez por ano para seu *pinkwashing*. E que deixem em paz nossas irmãs trans.
> Feliz e combativo Orgulho LGBTQIA+

O que nos interessa aqui não é tanto a sequência factual do caso, e sim como ele se insere no debate público. O primordial deveria ser discutir a racionalização da homofobia, o tratamento penal desse tipo de agressão e perguntar por que, na prática, os direitos previstos nas leis não protegem de forma igualitária todos os sujeitos, por que existem formas de opressão que persistem ao longo do tempo apesar das medidas institucionais contra elas ou por que pode haver homofobia em uma agressão mesmo que a pessoa agredida não seja *gay*. No entanto, o que geralmente prevalece na arena pública são proclamações empáticas, mas vazias, de amor livre, destinadas, de modo consciente ou inconsciente, a abafar os conflitos e as tensões da sociedade. Nesse contexto, os apelos ao amor teriam o papel de uma suposta cola social.

Os efeitos nocivos da sentimentalização da vida pública são mais uma prova de que a empatia dificilmente pode ser uma qualidade institucional, política ou coletiva, e sim, quando muito, pessoal (o que certamente não a diminui, mas a torna ininteligível quando exigida como medida institucional ou política). Quando a fofura irrompe no debate público, desloca o político para um lugar secundário, quando não irrelevante.

A sentimentalização da vida pública, como diz Didion, busca uma milagrosa e inexistente coesão social imediata. Talvez não seja possível entender esse ponto destacado por ela sem estabelecer certo distanciamento emocional em relação ao que se observa. Em outras palavras, talvez não seja possível entender que certos conflitos são realmente conflitos sociais e políticos sem a presença mediadora da literatura (ou do jornalismo) tal como Didion a entendia. Então, um dos inimigos *naturais* do jornalismo e da literatura é sem dúvida a hipocondria moral.

Mas o que acontece quando o que Didion observa são os fatos de sua própria vida? O que acontece quando seu objeto é ela mesma? O que encontra quando dirige o olhar para dentro de si em momentos de ansiedade? Bem, acontece uma coisa extraordinária. Didion encontra, novamente, ouro.

Em *Blue nights* (2011), Didion narra o luto pela morte da filha Quintana Roo, aos 39 anos, vítima de algo que começou como uma pneumonia. Adotada quando havia acabado de nascer por Didion e o marido, o também escritor John Gregory Dunne, Q. não teve vida fácil na juventude. Vivia deslocada no ritmo de vida glamoroso dos pais ilustres. Quando era criança, já se comportava como uma adulta. Já adulta, reagia como uma criança. Bebia demais. Nas palavras da mãe, alternava momentos de encanto e serenidade com outros de desespero suicida, impulsividade e dispersão da identidade. Ao longo da vida, Q. recebeu vários diagnósticos diferentes. O último deles: transtorno de personalidade limítrofe.

Em *Blue nights*, Joan Didion segue os rastros da própria perplexidade. Busca entender nem tanto de onde vieram a aflição e o mal-estar de Q., mas por que ela e o marido só perceberam quando já era tarde demais:

> Como podíamos ter entendido uns aos outros tão mal assim?[12]

12. Joan Didion, *Blue nights*. Trad. Ana Carolina Mesquita. Rio de Janeiro: Harper Collins, 2018, p. 54.

Didion é assertiva: tinha sido uma péssima mãe; nunca lhe passou pela cabeça, por exemplo, que a menina recém-nascida precisasse de um berço ou uma cestinha. Didion deixa pairar sobre o livro a suspeita de que a decisão de adotar Q. foi, pelo menos a princípio, um certo capricho dos pais. Dentre os episódios mais dolorosos e bizarros que conta para ilustrar como não estava preparada para ser mãe, se destaca o planejamento de uma viagem ao Vietnã com Q. recém-nascida. A história nada teria de especial não fosse o fato de que, na época, o país enfrentava uma guerra brutal. Por fim, Didion e Dunne desistiram da viagem a Saigon não porque tenham concluído que não era o lugar ideal para Q., mas porque ambos precisavam terminar de escrever seus livros e tiveram de ficar nos Estados Unidos.

Mas a coisa vai além, muito além, da imprudência ou do capricho:

> Um dos medos recorrentes [de Quintana], vim a saber muito mais tarde, era de que John morresse e que não houvesse mais ninguém além dela para cuidar de mim.
>
> Como ela poderia imaginar que eu não tomaria conta dela?
>
> Eu costumava perguntar isso.
>
> Agora pergunto o contrário:
>
> Como ela poderia imaginar que eu *conseguiria* tomar conta dela?[13]

13. *Ibidem*, p. 105.

É uma afirmação forte, desprovida de qualquer autoindulgência. Mas também são palavras que remetem a uma circunstância peculiar. *Blue nights* é um livro sobre a culpa, mas não foi escrito em estado de culpa. Didion, em um titânico desdobramento de personalidade (o que possivelmente só a passagem do tempo, entre outras coisas, permite), torna-se repórter de si mesma. *Blue nights* não é um livro confessional, pelo menos não exatamente; é antes uma reportagem sobre a própria vida, escrita com o mesmo afã de observadora presente no distanciamento jornalístico que ela se impõe. A culpa sobrevoa todo o livro, mas nunca aterrissa nele. Para Didion, sua alma enlutada é como aquela criança de cinco anos tomando ácido. Sua vida atropelada pela morte de Q. é ouro. E, para poder contar essa história da destruição de certos laços humanos elementares, Didion tem de tomar distância, tem de suspender, ao menos por um tempo, o sentimento de culpa, tem de desdramatizar sua vida. Sem o método do distanciamento – parece ser sua suspeita –, não ocorre a transmutação do ouro em algo ainda mais valioso. Então acontece algo inesperado: Didion se desvencilha da culpa para poder escrever sobre ela. Pode se descrever como uma péssima mãe consumida pela culpa, mas o faz sem se sentir culpada no momento de escrever. E pode admitir que foi muito descuidada com um ser vulnerável – e quase sempre indefeso – como Q. sem sentir hipocondria moral. Didion é o objeto da reportagem de Didion.

Então Didion é vítima de um distanciamento imposto pela própria Didion? Será que essa estranhíssima frieza e essa dureza indiferente, tão características de sua escrita, são o que fazem dela não apenas uma escritora fria, dura e indiferente, mas também uma pessoa fria, dura e indiferente? Ou, o que é ainda mais perturbador: terá sido esse distanciamento emocional, que parece permear a vida de Didion, que condenou Q.? Será que desde o início Q. foi para Didion como a criança tomando ácido? Essa desdramatização da própria vida não é um tanto alarmante?

Em *The Center Will Not Hold*, o documentário no qual aparece o diálogo que abre este capítulo, depois de dizer o quanto apreciava e valorizava estar casada com John G. Dunne, Didion responde o seguinte quando lhe perguntam como tinha se apaixonado por ele:

> Não sei o que significa "apaixonar-se". Hmmm, não faz parte do meu... mundo.

É uma declaração um pouco desconcertante. Parece que muitas vezes havia entre Didion e o mundo, incluindo seu mundo mais pessoal, um espaço incontornável, uma tábula rasa. Neste ponto, leitores e leitoras, outra sequência de perguntas pode vir à sua mente. Terá sido o acúmulo de anos de trabalho jornalístico que *deformou* o olhar de Didion a ponto de ela poder observar tudo com o distanciamento do jornalista? Ou foi sua predisposição *natural* a ver as coisas com distanciamento emocional que a atraiu para o jornalismo? Ou – ainda – foi simplesmente a profissão que exacerbou e aperfeiçoou seu olhar distanciado já de nascença? É difícil responder a essas perguntas. Talvez nem a própria Didion conseguisse.

O que parece mais claro é que, seja por influência total ou parcial do olhar jornalístico, seja por sua própria idiossincrasia, Didion tendia a fazer afirmações distanciadas e curiosas sobre como lidar com os elementos que costumam disparar a culpa nas classes médias das sociedades ocidentais.

Quando se questiona se Q. teve uma infância privilegiada, Didion diz:

> Tampouco argumentarei se ela teve uma infância "normal" ou não. Não tenho muita certeza se alguém já teve uma "infância normal" de verdade.
>
> "Privilégio" é outra coisa.
>
> "Privilégio" é um julgamento.
>
> "Privilégio" é uma opinião.
>
> "Privilégio" é uma acusação.
>
> [...]

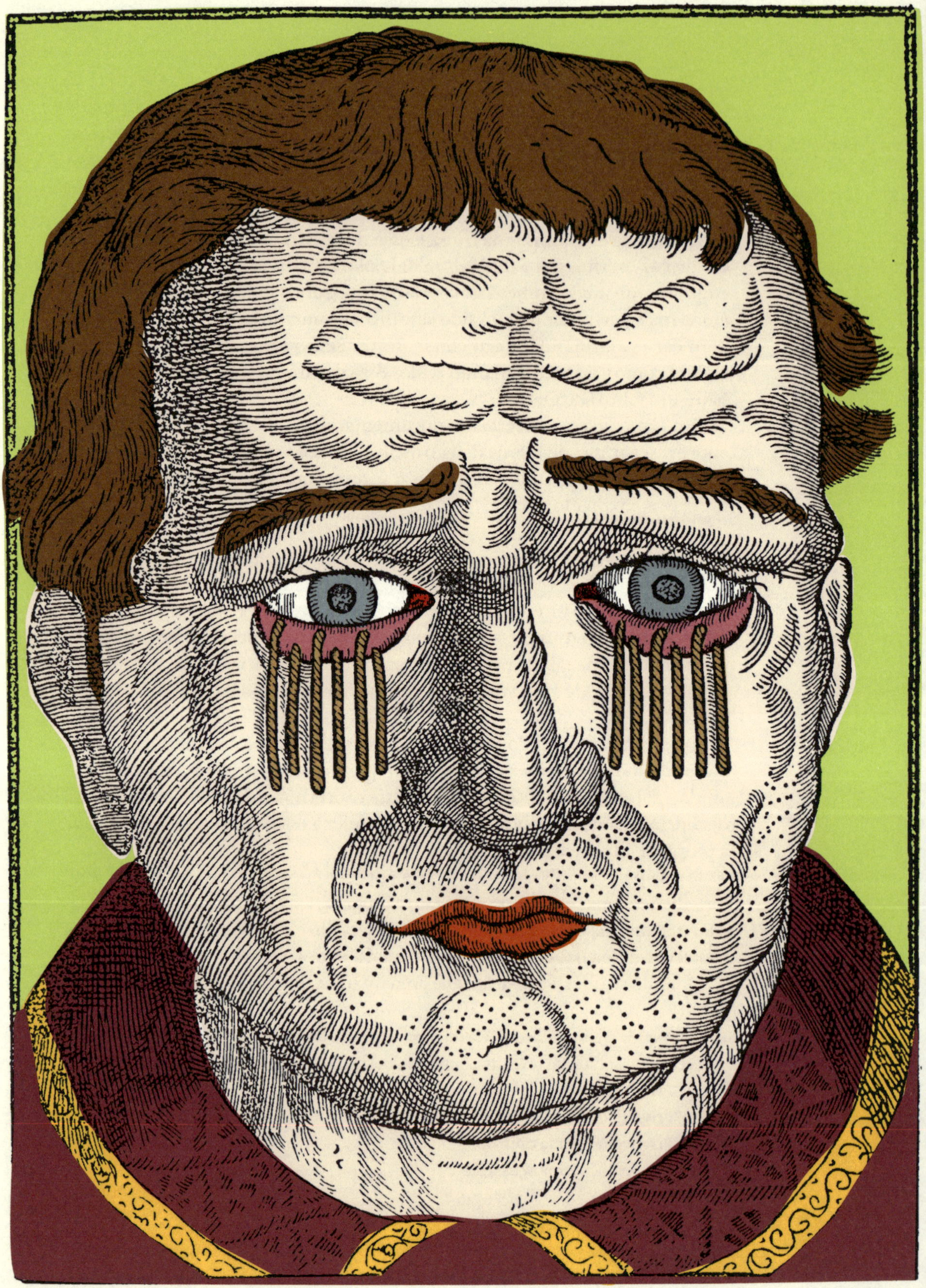

> (Uma pergunta: você chamaria de "privilégio" comprar vestidos de linho em tons pastel para usar em Saigon? Ou chamaria de estupidez?)[14]

14. *Ibidem*, pp. 79-80.

Os comportamentos equivocados de Didion, assim como a deriva errática de Q., não seriam, portanto, resultantes de seus supostos privilégios, mas da estupidez da própria Didion! Como ela poderia sofrer de hipocondria moral se os privilégios desempenhavam um papel basicamente irrelevante na explicação de suas atitudes? Didion bloqueia a hipocondria moral com uma espécie de despolitização de sua própria condição no mundo: ela não é uma privilegiada; nesse contexto, ela é, antes de mais nada, uma coisa muito mais elementar: é estúpida! Nesse ponto, Didion parece flertar com a ideia, que não deixa de ter certo ar aristocrático, de que algumas calamidades não acontecem devido a desequilíbrios de poder, maldade, desejo de vingança ou à sinistra convicção de que a razão está do nosso lado, mas por causa da cretinice das pessoas. Não é que Didion não tenha consciência desses outros fenômenos (a forma como ela trata o caso da mulher do Central Park é uma boa prova disso) nem que não entenda como eles influenciam o mundo. Ela sabe de tudo isso. No entanto, do ponto de vista da explicação de algumas catástrofes humanas, essas questões perdem força diante da participação decisiva dos cretinos nos assuntos do mundo (decerto Didion não ignora que a participação dos estúpidos sem poder é muito mais inofensiva do que a dos cretinos com poder, mas parece dar mais destaque ao fato de que a estupidez de alguma forma sempre está presente nas aberrações, argumento difícil de refutar). Havia estupidez nos responsáveis pela criança que tomou ácido. E também na ideia de levar Q. para Saigon em plena Guerra do Vietnã, no *tour* por hotéis glamorosos a que a submeteram na infância e em fazê-la comer caviar quando criança.

Atribuir momentaneamente as calamidades à estupidez talvez faça parte do processo de transformar o ouro em outra coisa mais valiosa. E só quando se realiza a alquimia literária é que outros sentimentos podem surgir, não apenas como objeto da escrita, mas embutidos nela. Assim, bem ao final de *Blue nights*, quando a transmutação do ouro já ocorreu, mas também em *The Center Will Not Hold*, a culpa por ter sido péssima mãe já não é o único elemento para o qual se voltam os olhos de Didion: também se voltam para a cor desses mesmos olhos. E então vem a dor, porque as lembranças de Q. se misturam e se desvanecem. O luto, a solidão ou a tristeza atacam com força. Mas isso só acontece quando a literatura já está fazendo a mediação com o mundo. E assim Didion consegue vislumbrar uma ideia de como funcionam todos esses sentimentos, incluindo a culpa, e de como conviver com eles.

Didion sugeria, assim, que era possível recusar a hipocondria moral sem recusar a culpa. Fazia um trabalho de ourives emocional, um trabalho muito delicado. O distanciamento em relação aos próprios sentimentos foi apenas uma fase em que Didion bagunçava os fatos a fim de reordená-los, e assim poder entender esses mesmos sentimentos e dar sentido à vida, pois é tão humano aceitar o fato de que ela carece de sentido como tentar lhe atribuir um sentido contando histórias. Assim, o método de Didion contra a hipocondria moral não é de fato um método. É apenas literatura: expansão de nossa consciência e dança de nossas emoções e sentimentos.

Essa expansão e essa dança não seriam possíveis se caíssemos em uma literatura hipocondríaca, que não deixa de ser uma forma de literatura sentimentaloide. Surge assim uma paisagem sombria, pois o que há de mais grave no sentimentalismo literário não é que ele ameace prejudicar a literatura: é que ameaça destruir os sentimentos. Devastar a literatura tem uma importância relativa. Mas despedaçar a rara capacidade que certas literaturas têm às vezes de entender os sentimentos um pouco melhor seria um desastre completo. O sentimentalismo literário torna irreconhecíveis os sentimentos, e assim os põe a serviço da ignorância, que continua sendo o pior e mais perigoso de todos os tiranos.

O VAMPIRO DO CASTELO

A hipocondria moral que atormenta Kathy Boudin ou Merry Levov se traduz, na prática, em formas de vida muito distantes das experiências comuns da maioria das pessoas. Seria um erro, contudo, pensar que, se alguém escapa de uma carreira terrorista por causa da culpa, também escapa da deformação patológica da culpa. Na prática, a hipocondria moral quase nunca leva a atitudes como a de Boudin ou de Levov. É muito mais comum que ela desemboque em comportamentos mundanos e compatíveis com uma perfeita e tediosa vida de classe média. Foi essa última declinação prática da hipocondria moral que o crítico cultural Mark Fisher detectou há alguns anos no que chamou de "Twitter 'de esquerda'".

Um dos faróis culturais da esquerda do início do século 21 e na época grande partidário do ativismo no ciberespaço, Fisher mostrou que a única preocupação de parte da esquerda era propagar, nas redes sociais e nas fileiras da própria esquerda, a deformação narcisista da culpa. A seu ver, essa atitude – que consiste, por exemplo, em acusar pessoas de esquerda de homofobia na esfera pública virtual por causa de um único comentário infeliz ou desacreditar todo o seu discurso aludindo aos privilégios que tem – enfatiza o aperfeiçoamento dos indivíduos, desmobilizando e estilhaçando o potencial do coletivo.

Em "Sair do castelo dos vampiros", amargo e controverso ensaio de 2013, Fisher descrevia o Twitter de esquerda como um castelo habitado por vampiros onde imperava, entre outras, a máxima "quanto mais culpa, melhor. As pessoas têm de se sentir mal: isso é sinal de que entendem a gravidade das coisas. Não há problema em ter privilégios de classe se você se sentir culpado por isso e fizer com que os que estão em uma posição de classe mais subalterna também se sintam culpados".[15]

15. Mark Fisher, *K-Punk. Volumen 3*. Trad. Patricio Orellana. Buenos Aires: Caja Negra, 2021.

Fisher com certeza estava em um momento de enfado quando escreveu esse ensaio (lembremos que acabou se suicidando alguns anos depois). Talvez isso explique por que estabelece, justamente nesse texto, uma espécie de taxonomia de oposições rígidas entre redes sociais e assembleias de base: as primeiras, um território configurado pelo moralismo burguês no qual a solidariedade é impossível; as segundas, um espaço em que predominam a cultura operária, o antirracismo e a anti-homofobia; as primeiras, um lugar em que o comportamento pedante da academia – que consiste numa competição passivo-agressiva para ser o primeiro a apontar uma contradição ou um erro no interlocutor – desarticula a esquerda como agente na luta de classes; as segundas, um lugar em que os privilégios não são armas para atirar uns nos outros, mas elementos estruturais que devem ser derrotados; as primeiras, um "ninho de beatos traficantes de culpa"; as segundas, um espaço em que celebridades da esquerda interagem horizontalmente com operários e trabalhadores.

O áspero texto de Fisher vai muito além dos propósitos deste ensaio porque trata do papel das redes sociais no seio da cultura popular; do tipo de discussão que é promovida pelos algoritmos que as governam; da configuração da esquerda; das interseções, problemáticas na prática, entre classe, raça e gênero; do ódio de classe; da arrogância dos acadêmicos e de sua desconexão dos problemas da vida real; da nostalgia e de muitas outras questões. Sem contar que "Sair do castelo do vampiro" é um elemento estranho no trabalho de Fisher, já que tem certo ar ludita, o que não se encaixa bem com outras partes importantes de seu discurso. Se o trazemos à baila é porque Fisher, além de outras considerações, identifica claramente o alvo da flecha de sua crítica e de sua ira: a hipocondria moral (embora não a tenha chamado assim).

No entanto, o arco com o qual ele aponta para o alvo está tensionado ao contrário.

Os vampiros do castelo são pessoas de classe média guiadas pelos vestígios de um narcisismo primário. Acham que tudo gira em torno delas. E que, pelo fato de se sentirem culpadas pelas injustiças do mundo, realmente o são. Mas construir o castelo de vampiros requer algo mais. Exige uma forma peculiar de crueldade: a expansão do mal-estar, a multiplicação deliberada da culpa em relação ao outro. O vampiro do castelo não convida seus pares a refletir, ele os exorta a sentir o mesmo que ele. Foi devorado pela hipocondria moral e não vai parar até que os outros sejam igualmente atormentados. Seu narcisismo não é apenas patológico, também é sádico.

As ações de que Boudin e Levov participaram eram destinadas a abafar sua culpa exacerbada. Já os que estão no castelo do vampiro lidam com a própria culpa fazendo os outros se sentirem tão culpados quanto eles, transformando a hipocondria moral em uma epidemia. A princípio, a propagação da culpa se dirige àqueles com quem eles compartilham privilégios. Mais tarde, como diz Fisher, visa também àqueles com quem o vampiro não compartilha *os mesmos* privilégios. Enquanto Levov ou Boudin julgam que são o centro do universo, o vampiro do castelo não se contenta com isso. Não quer ser o centro do universo, quer ser o universo inteiro, e acha que os outros deveriam ser suas cópias anímicas: se a culpa que ele sente é patológica, a culpa dos outros também deveria ser assim.

O vampiro é mais lúcido do que Levov ou Boudin pois sabe que não é possível abafar a culpa que sente – nem com bombas nem com qualquer outra coisa –, já que a única maneira de abafá-la seria resolvendo todas as injustiças do mundo: ele acredita, em virtude de seu narcisismo desenfreado, que todas elas são culpa sua. Em outras palavras, o vampiro é, em certo sentido, mais realista: não assume deveres supererrogatórios nem se entrega à fantasia de super-herói. Levov e Boudin têm bombas; o vampiro tem um *smartphone* e conexão *wi-fi*. O narcisismo de Levov e Boudin é mais violento, mas em certo sentido também é mais compassivo. O do vampiro é mais impiedoso: como não consegue abafar sua culpa, prefere que a culpa seja uma praga que corrói tudo. O hipocondríaco moral se preocupa, acima de tudo, com sua saúde social, com a forma como é julgado moralmente pelos outros. Portanto sua saúde social, paradoxalmente, será ótima se puder fazer com que todos se sintam tão culpados quanto ele: se todos são moralmente doentes, ninguém é moralmente doente. Levov ou Boudin, como diria Leopoldo María Panero, são máquinas de sofrer; o vampiro do castelo é, também, uma máquina de *fazer* as pessoas sofrerem. Enquanto Levov ou Boudin são anjos caídos, o vampiro no castelo é um verdadeiro filho de seu pai.

Fisher, como já dissemos, identificou bem seu alvo: a hipocondria moral. Pouco importa que não a denomine assim. O importante é que ele percebeu que o que habita o castelo dos vampiros é uma deformação alucinada e extremamente narcisista da culpa. No entanto, não temos muita certeza de que tenha identificado tão bem a magnitude do castelo dos vampiros. Fisher descreve uma paisagem apocalíptica: hordas de vampiros virtuais povoando as redes sociais e construindo um castelo tétrico e colossal. Talvez seja uma visão um pouco distorcida do que ele chama de Twitter de esquerda. Vampiros existem – e seria muito irracional pensar o contrário –, mas não são tantos nem são vampiros o tempo todo. É bem provável que os mesmos algoritmos que governam as redes tenham alterado a percepção das dimensões do castelo dos vampiros. Se for esse o caso, o problema principal parece residir mais na má governança do Twitter do que na onipresença da disseminação da culpa na esquerda. Por tudo isso, é um pouco surpreendente que a reação de Fisher à hipocondria moral do vampiro seja flertar com uma emenda à totalidade: em vez de rejeitar a hipocondria moral, Fisher parece rejeitar qualquer sentimento de culpa. Isso parece decorrer de um repúdio mais geral: um repúdio à própria ideia de moral, por ser uma ideia burguesa e subjetiva. Tal flerte acabaria tensionando ao contrário o arco com que Fisher mira seu alvo: a hipocondria moral pode ser derrotada pela ética, sem prescindir dela.

Vale a pena examinar melhor esse desdém pela incorporação de considerações morais ou éticas à luta política da esquerda. Fisher estaria sugerindo algo que é um lugar relativamente comum em certa forma de entender o marxismo: a luta de classes nada tem a ver com a moral; o que diferencia a cultura operária da cultura liberal é que a primeira não é moralizada e, acima de tudo, não é moralizada por meio da culpa. O próprio Fisher afirmou, em *Realismo capitalista* (2009), seu primeiro livro, que o capitalismo é imune a críticas morais. Numa entrevista posterior, acrescentou que "a abordagem ética nos impede de ver a dimensão daquilo que estamos enfrentando". A moral e a ética são vistas, em certas instâncias marxistas, como uma espécie de cavalo de Troia. Fisher não era um dos mais insistentes nessa desconfiança, mas, de maneira pontual, rejeitava a incorporação de considerações morais ao discurso da luta de classes.

O postulado de que a cultura política marxista não pode ser condicionada pelo moralismo porque denotaria uma subjetividade burguesa ou algo do tipo é, no entanto, uma ideia autodestrutiva. A ideia de que a atividade política moralizada em algum ponto se torna uma atividade impura não passa de outra forma de hipocondria, algo como uma hipocondria marxista. A diferença entre a hipocondria de que os marxistas sofrem e a hipocondria moral da pequena burguesia não é uma diferença de atitude, mas de conteúdo. Nos dois casos, sobrevivem a rigidez e o narcisismo próprios da hipocondria.

E talvez alguns marxistas já achem bom que a diferença seja apenas de conteúdo. Quer dizer, é bem possível que alguns marxistas preguem e divulguem felizes sua hipocondria marxista (eles são, em outras palavras, felizes stalinistas retóricos). Mas o que Fisher parecia detestar era a hipocondria moral em geral, sobretudo a hipocondria moral que, a seu ver, havia contaminado parte da esquerda, aquela que se congrega no castelo de vampiros. Por isso mesmo, é contraproducente conceber uma cultura de esquerda desprovida de componentes morais ou éticos. Entendida dessa maneira, a cultura de esquerda corre o risco de se tornar um fetiche tão paralisante quanto a hipocondria moral. O que esse exausto Fisher nos mostra é sua crença de que qualquer atitude moral é nociva em si mesma ou que qualquer atitude moral leva a um moralismo absolutista como o que se prega no castelo dos vampiros. Isso é estranho. Se alguém detesta, por exemplo, a moral puritana, não tem motivo para abandonar a própria ideia de moral: basta rejeitar a moral puritana. De forma semelhante, se alguém se sente incomodado com a hipocondria moral, é razoável que rejeite a hipocondria moral, não a própria ideia de culpa. O que constitui o castelo de vampiros não é a culpa, é a ideia de que se sentir culpado torna você culpado e, principalmente, a atitude sádica de espalhar esse mesmo mal-estar. Para fugir do castelo dos vampiros, não é preciso abandonar a culpa, e sim a hipocondria moral e o sadismo.

A taxonomia de oposições rígidas que Fisher traçou naquele momento em que estava aporrinhado com todo mundo, sobretudo com gente de suas próprias fileiras, não ajuda muito (se é que as taxonomias ajudam alguma coisa). Nem as assembleias de base estão isentas de atitudes burguesas, nem nas redes sociais é impossível encontrar solidariedade de classe, raça ou gênero. O que Fisher parecia ter dificuldade para entender é que traficar com a culpa não é o mesmo que usar a culpa para examinar a própria vida. É verdade que em alguns momentos desse artigo, assim como no resto de sua obra, ele deixa a porta entreaberta para o poder ético e cognitivo da culpa (como quando reconhece virtudes no fato de que lhe apontem que parte do que diz e pensa se deve aos seus privilégios de homem branco), mas a moral, assim, sem matizes, acaba sendo o saco de pancadas em que descarrega toda a sua fúria.

Como já dissemos, há na tradição marxista uma desconfiança bastante generalizada em relação à moral e à culpa, identificadas como algumas das piores facetas da vida burguesa. Mas ser moral não faz de você um burguês. Ser moral faz de você uma pessoa moral. O que torna alguém burguês não é ter moral, e sim ter moral burguesa (entre outras coisas). Está em nossas mãos, pelo menos até certo ponto, escolher que atitude moral ou ética adotar. E não há nada de intrinsecamente burguês nisso.

Quanto a nós, há uma atitude moralista que repudiamos. Ela consiste em julgar que o sentimento subjetivo de culpa gera sempre obrigações morais inescapáveis. Nos casos de Boudin e Levov, a culpa geraria a obrigação moral

absoluta de compensar o dano provocado por suas meras existências; no caso do vampiro do castelo, a culpa gera a obrigação moral absoluta de fazer com que os outros se sintam tão culpados quanto o vampiro. Às vezes, esse moralismo é impulsionado pela ideia de que a única alternativa seria o niilismo, a indiferença, a irresponsabilidade ou a defesa do *status quo*. No entanto, não há nenhum motivo para pensar que esse seja o caso. Pode-se ser antimoralista nesse sentido sem cair no niilismo ou defender o *status quo*. Não acreditamos que a culpa sempre gere obrigações morais inescapáveis. Em outras palavras, não pensamos que compromissos morais levem necessariamente à hipocondria moral. De fato, e de maneira mais geral, não pensamos que as obrigações morais sejam sempre inescapáveis, nem um supremo tribunal que julga tudo. Pensar que as obrigações morais são sempre inevitáveis é corromper nossa vida ética.

Uma vida ética é aquela em que a obrigação moral é um elemento a ser levado em conta tanto quanto o amor, a ternura, a compaixão, a política, a solidariedade ou a responsabilidade, e é com esses elementos, entre outros, que deve ser contrabalançada. Uma vida ética é um equilíbrio fragilíssimo entre cultivar todos os frutos que fazem valer a pena viver. O sentimento de culpa não implica necessariamente uma aquisição automática de obrigações morais categóricas para compensar o suposto dano cometido. Pode-se viver uma vida ética sendo imoral em alguns momentos particulares e peculiares. Também é possível que algumas vezes, ainda mais peculiares e infrequentes, a resposta ética correta seja aceitar uma imoralidade. Isso é algo completamente inconcebível para os que habitam as masmorras do castelo dos vampiros, e é isso que os niilistas tampouco conseguem entender. A culpa não deveria ser um veredicto automático e irreversível de culpabilidade, mas sim uma aflição que nos leva a examinar nossa vida.

E às vezes essa aflição revela uma confusão decisiva.

A CONFUSÃO

Por um lado, dizia Hannah Arendt, ninguém pode ser culpado ou sentir-se culpado por alguma coisa sem ter participado ativamente dela. Por outro, há uma responsabilidade pelo que *não* se fez. A culpa é imputada pelo que se faz; a responsabilidade, não apenas pelo que se faz, mas também pelo que não se faz. Contudo, culpa e responsabilidade costumam ser confundidas: às vezes nos sentimos culpados quando, na verdade, o que estamos sentindo é o chamado da responsabilidade. Esse equívoco alimenta a hipocondria moral.

Arendt costumava citar dois exemplos históricos dessa confusão. O primeiro, muito recorrente em sua obra e na de seus contemporâneos, foi o grito "somos todos culpados!", bradado na Alemanha do pós-Segunda Guerra Mundial em relação àquilo que o regime nazista perpetrara contra os judeus. A segunda se referia ao momento – estamos nos Estados Unidos dos anos 1960 – "em que tantos bons liberais brancos confessam ter sentimento de culpa com respeito à questão negra".[16]

16. Textos originais de 1964 e 1968. Citação de *Responsabilidade e julgamento*. Trad. Rosaura Eichenberg. São Paulo: Companhia das Letras, 2003, p. 213.

O problema, dizia Arendt, é que, quando todos são culpados, ninguém é culpado. Se a culpa se estendesse ao ponto de todos se sentirem culpados pelo estado do mundo, os verdadeiros culpados pelos crimes ficariam impunes, pois a culpa declinaria e se dissolveria num sentimento coletivo indeterminado e difuso. Um mundo inteiro preso no castelo do vampiro, com todos os seus habitantes devorados pela hipocondria moral, seria um mundo em que não se poderia distinguir os inocentes daqueles que não o são. A expansão voraz e sádica da culpa faz do mundo um lugar onde ninguém é culpado pelas maldades cometidas. Esse é o paradoxo apontado por Arendt.

É claro que existe uma genealogia religiosa na onipresença da culpa patológica nas sociedades ocidentais. Reconstruí-la exigiria um exercício de erudição que não estamos em condições de oferecer. Mas esse exercício, de todo modo, tropeçaria ao tentar explicar a hipocondria moral. Dificilmente a genealogia cristã pode explicar por que a hipocondria moral é um fenômeno que, ao contrário da culpa – que se implanta através de toda a sociedade –, afeta de maneira predominante a mentalidade da classe média.

Afinal, o que a classe média ocidental tem a ver com a hipocondria moral? Por que a classe média passa metade do tempo procurando coisas pelas quais se culpar e a outra metade tentando expiar toda a culpa que encontrou? Por que ela é tão boa para se culpar e tão ruim para se responsabilizar?

A HIPER-REFLEXÃO DESTRÓI O CONHECIMENTO MORAL

Não se pode viver
sempre pensando e pensando.
LOS CHICHOS, "SON ILUSIONES"

O filósofo Bernard Williams dizia que o século 20 se caracterizava como o século mais reflexivo da história. Nunca antes a humanidade havia dedicado tanto tempo à reflexão, nem tantos de seus integrantes se dedicaram a ela. Williams fez essa afirmação nos anos 1980. Se houvesse vivido até hoje, teria observado que essa tendência se acentuou ainda mais no século 21. Por todo o Ocidente surgiram e se espalharam novos departamentos universitários dedicados a questões inimagináveis poucas décadas atrás. Os grandes relatos assumidos sem questionamento, assim como as grandes convenções sociais dadas como certas, têm sido contestados depois de submetidos a severas reflexões. Mas alguns pequenos relatos, aparentemente insignificantes, também foram questionados como consequência da reflexão. Vivemos na época mais reflexiva da história. Isso permitiu dar visibilidade a opressões ignoradas por motivos no mínimo suspeitos. A reflexão tem se mostrado fecunda.

Mas, quando a reflexão se hipertrofia, tudo vai por água abaixo. A hiper-reflexão, sustentava Bernard Williams, destrói o conhecimento moral. Não temos espaço aqui para desenvolver extensamente sua maneira de ver as coisas, que ele moldou sobretudo em *A ética e os limites da filosofia* (1985).[17] Mas, inspirados livremente em algumas de suas ideias, daremos algumas pinceladas no assunto.[18]

A primeira é que a reflexão moral leva à abstração, e há pouco conhecimento moral no reino do abstrato. E a hipocondria moral alude a algo muito abstrato: interpretamos o mal-estar que algumas situações do mundo nos causam como sinal de que essas situações são culpa nossa, e interpretamos a culpa como um sintoma de algo que fizemos de errado ou de uma existência intrinsecamente pecaminosa. Não entendemos muito bem por que isso acontece. Ou melhor, só temos intuições ou conjecturas não articuladas sobre o assunto. A reflexão entra em ação para tentar verbalizá-las. Temos de explicar a nós mesmos por que nos sentimos culpados, precisamos que esses sintomas de mal-estar tenham algum sentido, não podemos aceitar que eles possam ser arbitrários, ficamos desconcertados com o fato de não terem explicação ou serem simples arroubos. E a maneira de dar-lhes algum sentido é tentar identificar por que nos sentimos culpados. Então refletimos mais. E mais. E mais. E ainda mais. Exploramos todos os detalhes de nossas vidas, de nossas palavras, de nossas ações. E nosso pensamento vai se enroscando no lugar em que o pensamento

17. *A ética e os limites da filosofia*. Trad. Artur Mourão e Davi G. Santos. Lisboa: Documenta, 2017.
18. É possível que a interpretação mais fiel da obra de Williams seja dizer que, para ele, a simples reflexão – sem chegar ao extremo da hiper-reflexão – é o que destrói o conhecimento moral. As considerações com que sustentou uma posição tão radical estão além do escopo deste ensaio. Em todo caso, adotamos uma visão mais moderada da mesma ideia: a reflexão pode ter efeitos benignos; a hiper-reflexão só tem os malignos.

costuma se enroscar: no abstrato. E no céu do abstrato acontece uma coisa contraditória: ali encontramos consolo, porque julgamos ter entendido, nesse nível impalpável e invisível, por que somos culpados. Somos privilegiados, somos classe média, somos o que quer que nos faça sentir mal, e isso é um alívio: não temos mais de viver na confusão, os sintomas de culpa dos quais padecemos têm sentido, não somos doidos, acabou a aflição! Mas, ao mesmo tempo, também é um tormento pelos mesmos motivos: os sintomas de culpa revelam uma doença, um comportamento reprovável, às vezes até infame, não estamos doidos, nada nos isenta da culpa, que comece uma nova aflição!

E quando a culpa permeia tudo, como no caso de Boudin, tudo se orienta para abafá-la, justamente porque a culpa é voraz e ocupa todos os espaços. E quando tudo é dirigido a sufocá-la totalmente, podem aparecer comportamentos aberrantes. Boudin, vítima da hipocondria moral mais extrema, carece do conhecimento moral mais elementar: não tem compaixão, renunciou à noção mais básica de autonomia e não se importa em contribuir – porque se nega a saber com o que está contribuindo – para as ações mais brutais e mais cruéis. A hiper-reflexão a levou a justificar sua culpa de forma extremamente abstrata: é culpada por ser quem é. O *overthinking* moral destrói o conhecimento moral. Como diz a filósofa Miranda Fricker, a reflexão vicia e pode chegar a ser corrosiva. E, no momento em que se torna corrosiva, tudo se transforma em destruição narcísica. A autodestruição começa pela destruição do mundo externo, e este, na mente do hipocondríaco moral, não passa de um palco a serviço da pretensa redenção que ele protagoniza. A destruição do mundo externo ocorrerá quando caírem os muros que contêm a moral mundana, que também é a mais densa: a compaixão, a repulsa à brutalidade, o repúdio à crueldade ou a capacidade de assumir responsabilidades. Destruídos o mundo externo e o mundo interno, não existirão mais moral a salvar nem ética a honrar. No plano mais abstrato, culpa e responsabilidade se confundem. A responsabilidade se move em um mundo mais terreno, menos abstrato, pois, ao contrário da culpa, que opera de maneira introspectiva e pretende aliviar a condição de quem sente que agiu mal, a responsabilidade tem a ver com males concretos causados a terceiros, com a presença específica de outro, de uma pessoa ou grupo que foram prejudicados, e com a possibilidade de aliviar a situação destes.

A reflexão, com sua tendência ao abstrato, é um terreno fértil para a culpa. E a reflexão hipertrofiada é um terreno fértil para a hipocondria moral. Em vez de assumir a responsabilidade política, que exige sobretudo tomar medidas e adotar compromissos que envolvem ações dirigidas ao outro, a classe média ocidental se perde em digressões quase metafísicas e acaba acreditando que, de uma forma ou de outra, é diretamente culpada por todo tipo de atrocidades – como Jack, o Estripador, é culpado por suas vítimas. Onde

deveria haver responsabilidade política, a classe média abraça a hipocondria moral.

A segunda pincelada é muito tênue, quase uma paródia sutil. A ideia de que a hiper-reflexão destrói o conhecimento moral é, em si mesma, produto da hiper-reflexão. Em outras palavras: a ideia de que a hiper-reflexão destrói o conhecimento moral é um conhecimento moral ao qual se chega como resultado da hiper-reflexão. Portanto, há pelo menos um tipo de conhecimento moral que a hiper-reflexão não apenas não destrói, mas nos permite descobrir. Ironias da filosofia.

Mas o século 20 não foi apenas o século da hiper-reflexão. Foi também, pelo menos no Ocidente, o século das classes médias. Na verdade, o fato de esses dois fenômenos acontecerem em paralelo não é uma coincidência. O desenvolvimento industrial e econômico, com a implantação do Estado de bem-estar social na Europa e do New Deal nos Estados Unidos, criou as condições materiais para a ascensão da classe média e, com ela, também as condições para a onipresença da reflexão. Ninguém reflete tanto sobre a moralidade quanto a classe média ocidental. Não só devido à herança judaico-cristã. Há uma questão prática inerente à própria existência da classe média. Trata-se do tempo. A classe média passa mais tempo refletindo porque, em grande parte, muitos de seus trabalhos envolvem reflexão, de uma maneira ou de outra: não são trabalhos manuais ou mecânicos. Por isso, ocorre uma internalização dos esquemas de pensamento próprios de seus trabalhos e, desse modo, as classes médias aplicam esses mesmos esquemas de pensamento em suas análises da realidade sociopolítica e das questões morais. E, como esses esquemas envolvem *brainstorming*, *trial & error*, avaliações e *reviews*, enfim, como esses esquemas de pensamento são hiper-reflexivos, suas análises das questões morais são permeadas pela hiper-reflexão.

O MONSTRO

Everybody knows I'm a motherfuckin' monster.
KANYE WEST, "MONSTER"

Em 1955, Buñuel estreou *Ensaio de um crime*, também conhecido como *A vida criminosa de Archibaldo de la Cruz*, um filme que, como ele mesmo confessou, é um divertimento. O que ele nunca disse é que é apenas um divertimento. Trata-se da história de Archibaldo de la Cruz, um homem rico que na infância ganhou uma caixinha de música. Quando a faz tocar pela primeira vez, sua preceptora – de quem está longe de ser um admirador – é atingida por uma bala perdida de um tiroteio que ocorre na rua (talvez fosse na época do México revolucionário). Ignorando a falácia *post hoc ergo propter hoc*, Archibaldo conclui que foi ele, ao pôr em funcionamento a caixa de música, que matou a preceptora. A partir desse momento, mesmo já adulto, toda vez que quer matar alguém, Archibaldo faz tocar essa caixinha de música. A trama narra uma maravilhosa série de despropósitos que ele comete em função de sua fantasia homicida.

Ensaio de um crime é – pelo menos nós o interpretamos assim – uma alegoria sobre o transtorno narcisista de onipotência da burguesia e da classe média. Archibaldo sente-se culpado por crimes que não cometeu, embora os tenha desejado. Tal como Kanye West, Archibaldo também vive sua peculiar *beautiful dark twisted fantasy*. *Ensaio de um crime* é um deboche permanente da ilusão de onipotência da classe média e da burguesia, que se creem capazes de intervir no mundo sem se manchar, sem tocá-lo, e acham que podem mudar o curso da história num passe de mágica, ativando uma caixinha de música.

A certa altura do filme, Archibaldo se entrega à polícia e conta sua fantasia particular. Declara-se culpado. Poderá existir uma imagem mais perfeita e patética de hipocondria moral do que a de Archibaldo se entregando à polícia e se declarando culpado por crimes que não consegue provar e que não cometeu? Poderá existir um retrato mais doloroso de hipocondria moral do que o de alguém que se declara culpado por crimes dos quais só participa através de sua capacidade de refletir e de fantasiar? Sim, *Ensaio de um crime* é mesmo um divertimento, é uma gargalhada diante da culpa patológica das mentes burguesas de bem.

E o fato de serem crimes desejados é mais uma alegoria da ânsia de protagonismo social e do narcisismo próprios da classe média, pois os crimes pelos quais Archibaldo se sente culpado não são aleatórios: são os que *ele* desejaria ter cometido. Tal como Kanye West e sua fantasia bizarra, Archibaldo é o protagonista absoluto da história, aquele que faz com que as coisas se movam e em torno de quem elas se movem. O importante na fantasia bizarra de que fala Kanye West não é o fato de ser uma fantasia, é o fato de ser *a sua* fantasia. Sentir-se um monstro é uma forma de ser protagonista. Puro narcisismo.

O PODER DE UMA METÁFORA

Hannah Arendt diz que "é apenas num sentido metafórico que podemos dizer que *sentimos* culpa pelos pecados de nossos pais, de nosso povo ou da

19. Hannah Arendt, *op. cit.*, p. 214.

humanidade, em suma, por atos que não praticamos".[19] Poucas linhas adiante, ela faz um estranho pedido: "Talvez seja prudente abster-se dessas declarações metafóricas que, se tomadas ao pé da letra, só podem levar a uma sentimentalidade falsa em que todas as questões reais são obscurecidas". Ah, esse nosso velho conhecido, o sentimentalismo! Mas, por ora, vamos deixá-lo de lado. Esse pedido de Arendt é um pouco estranho porque, justamente, a graça das metáforas consiste em não serem entendidas de modo literal. Portanto, o pedido mais adequado não seria para se deixar de falar usando metáforas, mas para não se ler as metáforas literalmente.

Seja como for, o caso é que as metáforas têm um poder singular.

A culpa, mesmo quando não somos culpados, pode nos levar a examinar nossos comportamentos passados e presentes. A grande diferença entre hipocondria *normal* e hipocondria moral é que nossas falhas morais, ao contrário da maioria de nossas doenças, quase sempre dependem de nossa vontade (na verdade, se formos muito kantianos, elas dependem exclusivamente de nossas vontades, mas nunca há uma boa razão para ser *muito* kantiano). A culpa pode causar alterações em nossos comportamentos futuros. Talvez fosse melhor, em vez de nos sentirmos culpados, encontrar a emoção certa e assumir de imediato a responsabilidade pelos fatos, da mesma maneira que seria mais adequado entender que há momentos nos quais confundimos a inveja com o ciúme: pensamos ter ciúmes de alguém, mas na verdade só invejamos o relacionamento entre a pessoa que amamos e a pessoa de quem pensamos ter ciúmes.

Mas nada disso é decisivo. Sentir-se culpado no sentido literal, quando não se participou de uma ação, é uma manifestação de narcisismo que, em seu extremo, pode destruir o mundo externo e o mundo interno. Sentir-se culpado no sentido metafórico, ao contrário, pode ser um motivo para levar uma vida examinada no sentido aristotélico e, assim, assumir responsabilidades.

A culpa, aliás, pode funcionar como um antídoto contra o cinismo: quem sente o peso da culpa pode ter – como vimos – vários defeitos, mas o cinismo não está entre eles. O fulcro ético de quem se sente culpado é o da nobreza; já os cínicos, por seu lado, não têm esse fulcro. Isso não significa que todas as pessoas que não se sentem culpadas sejam ignóbeis; vejam o exemplo de Joan Didion: ela ignora deliberadamente a culpa para poder entender não apenas a culpa, mas a condição humana. Existem vários caminhos para a generosidade, para o compromisso político ou para a nobreza. Nem todos passam pela culpa, e não vemos por que, em relação a esse ponto, como também a muitos outros, não devemos ser pluralistas. Mas às vezes a nobreza se manifesta por meio da culpa, como no caso de Kathy Boudin ou Merry Levov. É melhor um hipocondríaco moral do que um cínico!

Além disso, a metáfora da culpa tem o poder de identificar, possivelmente com mais precisão do que algumas leituras literais da culpa ou de outros sentimentos, o fenômeno que a filósofa e historiadora de ideias Judith Shklar chamou de "injustiça passiva". Em *The Faces of Injustice* (1990), Shklar distingue entre injustiça ativa e passiva. A ativa se dá nas calamidades em que há uma clara relação de causa e efeito. A passiva, ao contrário, nas situações injustas nas quais a relação de causa e efeito é incerta ou mesmo inconcebível.

Costumamos pensar que as relações de causalidade correspondem a cadeias visíveis e bem ordenadas de fatos e comportamentos. Mas, como disse certa vez Iris Murdoch, as relações de causalidade podem ser mais intrincadas que uma teia de aranha. A injustiça passiva não é estritamente passiva. O que ocorre é que a causalidade entre o sujeito passivo e a injustiça é tão mediada por camadas e mais camadas de fatos e sub-relações que, como acontece com as teias de aranha mais cerradas, o elo entre o sujeito e a injustiça acaba se perdendo. E então se começa a pensar que, se a causalidade não pode ser rastreada, é porque na verdade não existe causalidade. Mas isso, dito dessa maneira, é falso. A metáfora da culpa, de forma desconcertante, doentia e aflitiva, revela essa falsidade. Vejamos de novo o caso de Kathy Boudin. Seu lugar privilegiado no mundo, suas ações cotidianas, não têm relação direta com as injustiças pelas quais se sente culpada. Ela não participa ativamente desses acontecimentos, como fazem o presidente Lyndon B. Johnson, por exemplo, ao mandar tropas americanas para o Vietnã, e as próprias tropas americanas, ao matar vietnamitas *in situ*. Mas o lugar privilegiado que Boudin ocupa no mundo faz parte de uma gigantesca rede de causa e efeito que produz algumas injustiças. Ela não participa diretamente dessas injustiças, e, se tentarmos rastrear de que maneira seu comportamento as afeta, acabaremos perdidos e atordoados em uma nebulosa colossal de ações e omissões de milhares e milhares de pessoas e grupos. Mas isso não significa que o que Boudin faz no dia a dia não tenha alguma influência indireta nessas injustiças. Seria absurdo atribuir culpa a Boudin por elas e por uma relação de causa e efeito tão difusa, da mesma maneira que era absurdo Boudin sentir-se culpada por elas. Então, como diz Arendt, sentir-se culpado quando não se participa ativa ou diretamente de uma injustiça só pode ser algo metafórico. Mas, de todo modo, pode-se exigir responsabilidade política.

No entanto, a razão pela qual é possível exigir algum tipo de responsabilidade política é que nesta questão reina um paradoxo: a injustiça passiva não é passiva. O que ocorre é que, nesse caso, a causalidade é tão, mas tão indireta, indetectável e remota que, com razão, não ousamos chamá-la de injustiça ativa. O erro de Boudin – um erro induzido pelo narcisismo e pela hiper-reflexão – é sentir-se culpada de maneira literal, como se pensasse que as injustiças que seu radar moral identifica são injustiças que ela própria causa diretamente e quase sem mediação. Em outras palavras, o erro de Boudin é cair na hipocondria moral, na culpa patológica. Mas na realidade se trata de injustiças passivas, e a emoção para combatê-las não deveria ser a culpa, ou pelo menos não a culpa literal, mas a responsabilidade política. A culpa metafórica intui relações de causalidade extremamente complexas e indetectáveis e sugere que as injustiças passivas são, na verdade, formas muito intrincadas e perturbadas de injustiça ativa.

O erro de Boudin ou Levov consiste em dar ensejo, como reação a essa descoberta, à mesma emoção que uma injustiça ativa despertaria: a culpa. Mas a descoberta da injustiça passiva exige, quando muito, a aceitação de uma responsabilidade política, não a autoflagelação que a culpa proporciona.

Mas o que significaria na prática reagir com responsabilidade política, e não com culpa? Significaria, no caso de Boudin durante a convenção democrata de 1968 em Chicago, juntar-se às manifestações contra a guerra, ser mais uma marchando contra a barbárie, abandonar o narcisismo de querer ser a heroína que envenena os participantes do coquetel e se libertar da necessidade de que tudo gire em torno dela. E, no caso dos vampiros do castelo, o que significaria não agir movido pela culpa? Possivelmente, pelo menos nas redes sociais, o silêncio.

Não há hipocondria moral sem culpa, mas pode haver culpa sem hipocondria moral. A tentação de descartar a culpa para, assim, se livrar da hipocondria moral vai se revelar não apenas desnecessária, mas possivelmente também contraproducente. Sentir-se culpado não é motivo para pensar que se é culpado. Mas deveria ser motivo, como já dissemos, para examinar, no sentido aristotélico, a nossa vida.

A hipocondria moral pode nos levar a consequências homicidas, como no caso de Boudin, ou então, em graus menos extremos, como acontece no caso dos vampiros do castelo, a atitudes ridículas e um absolutismo moral discursivo desprovido das formas mais elementares de compaixão diante dos impulsos punitivos e autopunitivos mais básicos. O sentimento subjetivo de culpa, sem seu desvio patológico, pode induzir indiretamente a uma reflexão sobre o que é uma vida que vale a pena ser vivida e, com isso, talvez possamos superar o cinismo e outras formas de miséria humana. A hipocondria moral nos deixa à mercê de um moralismo da pior espécie. Já a culpa é uma emoção que, quando consegue escapar de sua sinistra metamorfose em hipocondria moral, pode nos aproximar da ética.

ATENUANTES

Para capturar a mentalidade burguesa é preciso entrar na mentalidade terrorista. Para entender a culpa é preciso exagerá-la. Resgatar algo de um ensaio é propiciar seu colapso. E a consciência, como a pele, só pode ser de fato conhecida a partir de suas imperfeições.

Viena, dezembro de 2021

NOTAS E AGRADECIMENTOS

"Escombros" é vagamente inspirado em uma ideia que Robert Nozick sugere no início de seu monumental *Philosophical Explanations* (1981). Nozick sustenta ali que a filosofia, em vez de ser construída como uma torre alta feita de provas lógicas que se sobrepõem umas às outras, deveria ser entendida como o Partenon, no qual as visões filosóficas se acumulavam, como colunas, umas ao lado das outras. Assim, quando o solo filosófico tremesse e a construção desabasse, conclui Nozick, no caso do Partenon restaria algo de belo e interessante para explorar, ao passo que, quando a torre alta caísse, nada poderia ser recuperado, pois tudo estaria destruído. Não consideramos que a beleza se encontre apenas nos edifícios bonitos. Mas, de todo modo, não é isso que nos interessa aqui. O que nos interessa é que as ruínas sejam bonitas, não que os edifícios de onde elas vêm o sejam. E só há uma maneira de saber se uma ruína é bonita ou não: derrubando o edifício.

As ideias contidas em "A confusão" são inspiradas em *A ética e os limites da filosofia*, de Bernard Williams, como já mencionamos. Na verdade, a influência de Williams está latente ao longo de todo o ensaio. Mas nos afastamos dele em alguns pontos, o mais importante dos quais talvez seja que Williams faz reparos à totalidade da culpa (que ele associa ao que denomina "sistema de moralidade", um sistema que repudiava); já nossos reparos não vão tão longe, só se referem ao desvio patológico da culpa: a hipocondria moral. Discutir se a hipocondria moral é o destino incontornável da culpa – coisa que talvez, com outro vocabulário, Williams tivesse em mente – fica para outra ocasião.

Algumas pessoas leram versões anteriores deste manuscrito: Hilda Díaz, Eudald Espluga, Brenda Navarro, Max Martí, Pablo Muñoz, Itsue Nakaya-Pérez, Isabel Obiols, Federica Scopsi. Todas as suas observações, críticas ou não, foram sempre afetuosas. Nosso agradecimento igualmente afetuoso a eles que, é bom que se diga, embora possivelmente desnecessário, não têm qualquer responsabilidade, e muito menos culpa, pelo que sustentamos aqui

Natalia Carrillo (Cidade do México, 1984) tem formação em matemática, neurociência e filosofia da ciência, e é bolsista de pós-doutorado no Departamento de Filosofia da Universidade de Viena.

Pau Luque (Barcelona, 1982) ganhou o Prêmio Anagrama de Ensaio 2020 com *Las cosas como son y otras fantasías*. Colabora em veículos como *El País*, CTXT e *Rockdelux*. É pesquisador em filosofia do direito na Universidad Nacional Autónoma de México.

Tradução de **Ari Roitman** e **Paulina Wacht**

Georg Bartisch (1535-1607) foi um médico alemão especializado em oftalmologia, que acreditava que a magia e a bruxaria tinham papel relevante na medicina. Foi autor do primeiro tratado relevante nessa área, o livro *Ophthalmodouleia, das ist Augendienst* (1583), que continha um atlas de doenças oculares composto por 92 xilogravuras, das quais algumas são reproduzidas aqui.

#44
julho 2023

Capa: Georg Bartisch, xilogravura do livro *Ophthalmodouleia* (1583)
Folha de rosto: Iole de Freitas, detalhe de *Serrinhas* (1981)

Agradecimentos: galeria Jaqueline Martins, galeria Jenkins Johson, Jori Klein, Marina Buendia, Melina Moe, Michael Taussig e New York Public Library.

serrote é uma publicação do Instituto Moreira Salles que sai três vezes por ano: março, julho e novembro.

EDITOR **Paulo Roberto Pires**
DIRETOR DE ARTE **Daniel Trench**
EDITOR-ASSISTENTE **Guilherme Freitas**
COORDENAÇÃO EDITORIAL **Flávio Cintra do Amaral**
ASSISTENTE DE ARTE **Lívia Takemura**
PRODUÇÃO GRÁFICA **Acássia Correia**
PREPARAÇÃO E REVISÃO DE TEXTOS **Ana Paula Martini, Andressa Bezerra, Huendel Viana, Juliana Miasso, Lia Fugita, Luisa Destri, Nina Schipper e Silvia Massimini Felix**
CHECAGEM **Érico Melo e Luiza Miguez**
IMPRESSÃO E TRATAMENTO DE IMAGENS **Ipsis**

Av. Paulista, 2439 /6º andar
São Paulo SP Brasil 01311-936
tel. 11.3371.4455 fax 11.3371.4497
www.ims.com.br

ASSINATURAS 11.3971.4372 ou serrote@ims.com.br
www.revistaserrote.com.br